TERCEIRO SETOR
HISTÓRIA E GESTÃO DE ORGANIZAÇÕES

Dados Internacionais de Catalogação na Publicação (CIP)
(Câmara Brasileira do Livro, SP, Brasil)

Albuquerque, Antonio Carlos Carneiro de
  Terceiro setor : história e gestão de organizações / Antonio Carlos Carneiro de Albuquerque. – São Paulo : Summus, 2006.

  Bibliografia.
  ISBN 978-85-323-0251-9

  1. Terceiro setor – Brasil 2. Terceiro setor – Leis e legislação – Brasil 3. Terceiro setor – Administração I. Título

06-0349   CDD-338.761000981

Índice para catálogo sistemático:
1. Brasil : Terceiro setor : Economia   338.761000981

Compre em lugar de fotocopiar.
Cada real que você dá por um livro recompensa seus autores
e os convida a produzir mais sobre o tema;
incentiva seus editores a encomendar, traduzir e publicar
outras obras sobre o assunto;
e paga aos livreiros por estocar e levar até você livros
para a sua informação e o seu entretenimento.
Cada real que você dá pela fotocópia não autorizada de um livro
financia o crime
e ajuda a matar a produção intelectual de seu país.

ANTONIO CARLOS CARNEIRO
DE ALBUQUERQUE

TERCEIRO SETOR

HISTÓRIA E GESTÃO DE ORGANIZAÇÕES

summus
editorial

TERCEIRO SETOR
História e gestão de organizações
Copyright © 2006 by Antonio Carlos Carneiro de Albuquerque
Direitos desta edição reservados por Summus Editorial

Editora executiva: **Soraia Bini Cury**
Assistente de produção: **Claudia Agnelli**
Capa: **Alberto Mateus**
Projeto gráfico e diagramação: **Crayon Editorial**
Fotolitos: **Casa de Tipos**

Summus Editorial
Departamento editorial:
Rua Itapicuru, 613 – 7º andar
05006-000 – São Paulo – SP
Fone: (11) 3872-3322
Fax: (11) 3872-7476
http://www.summus.com.br
e-mail: summus@summus.com.br

Atendimento ao consumidor:
Summus Editorial
Fone: (11) 3865-9890

Vendas por atacado:
Fone: (11) 3873-8638
Fax: (11) 3873-7085
e-mail: vendas@summus.com.br
Impresso no Brasil

A minha mãe, HELOISA, *meu irmão,* IQUE,
minha cunhada, PAOLA, *e meu avô,* CARLOS VICARI *– pessoas
fundamentais em minha vida –, com todo meu amor.*

A MARU WHATELY *e* CIÇA WEY,
grandes amigas de todas as horas.

AGRADECIMENTOS

Agradeço a HELOISA NADER DI CUNTO, JOÃO PAULO CAPOBIANCO e IVAN WHATELY, responsáveis pelo começo de minha jornada no terceiro setor.

A minhas "Canadian Girls" e aos meus colegas do projeto GETS – United Way of Canada, pelo aprendizado único e pela experiência inesquecível de vida.

A ANA LUZ QUINTANILLA, CARLOS CASTILLO e aos meus companheiros do Programa Lead International, amigos e companheiros de memórias marcantes e de grandes jornadas.

A EDUARDO SZAZI e ERIKA BECHARA, pela amizade, pelo respeito e apoio de sempre.

SUMÁRIO

INTRODUÇÃO 13

PARTE I

O TERCEIRO SETOR 15

Conceitos 17

Histórico 21

Situação na América Latina 28

Situação no Brasil 33

Aspectos legais no Brasil 41

Financiamento do terceiro setor com recursos
do orçamento público 49

Financiamento do terceiro setor com recursos privados 52

PARTE II

GESTÃO DE ORGANIZAÇÕES E DE PROJETOS DO TERCEIRO SETOR 55

Introdução 57

Planejamento: definição e tipos 59

Análise do contexto 61

Definindo a missão 64

Interessados (stakeholders) 67

Gerenciamento de risco 69

Objetivos e atividades 70

PARTE III

GESTÃO ADMINISTRATIVA E FINANCEIRA DE ORGANIZAÇÕES
E DE PROJETOS DO TERCEIRO SETOR *73*

Definição, perfil e atribuições do gestor e funções da gestão *75*

Recursos humanos *78*

Recursos materiais *86*

Recursos financeiros: planejamento, orçamento, cronograma
físico-financeiro e fluxo de caixa *88*

Captação de recursos *95*

Marketing *social* *104*

PARTE IV

AVALIAÇÃO E GESTÃO POR RESULTADOS *109*

Introdução *111*

Avaliação e monitoramento de projetos e programas
do terceiro setor *112*

O que é a gestão por resultados *120*

Conceitos-chave *124*

Definição e mensuração de resultados *127*

Desenvolvimento da matriz lógica de análise
(logical framework analysis – *LFA)* *131*

CONCLUSÃO *137*

ANEXO: ROTEIRO PARA ELABORAÇÃO
DO DOCUMENTO DO PROJETO *139*

NOTAS *143*

BIBLIOGRAFIA *145*

*Nada pode resistir à força
de uma idéia cujo tempo chegou.*
VICTOR HUGO

INTRODUÇÃO

Segundo pesquisas e estudos recentes, o Brasil possui entre 6 mil e 23 mil organizações consideradas do terceiro setor; nelas trabalham voluntários e profissionais das mais diferentes formações e áreas. Indiretamente, cerca de 2% da população brasileira está ligada a esse setor, segundo estudo realizado pela Johns Hopkins University em 1995.

Atualmente existem no Brasil inúmeras fundações ou instituições privadas que atuam no terceiro setor, seja financiando iniciativas com recursos materiais, financeiros e humanos, seja executando projetos ou, ainda, realizando ambas as tarefas. A essas organizações se somam centenas de financiadores ou apoiadores nacionais ou internacionais, governamentais ou não.

Cada vez mais fazem-se necessários a profissionalização, o aprimoramento e a transparência dessas organizações e de seus funcionários ou voluntários. As instituições – públicas ou privadas – que financiam e apóiam seus projetos ou atividades também demandam uma atuação mais qualificada.

Este livro sobre a história e a gestão de organizações e projetos do terceiro setor foi escrito na tentativa de contribuir para o aprimoramento desse segmento no Brasil. Seus objetivos principais são apresentar de forma clara a história dos movimentos sociais e do terceiro setor em nosso país e na América Latina e fornecer ao leitor informações e ferramentas básicas para que uma organização possa agir de forma eficiente e eficaz no desempenho de suas atividades (programas e projetos).

A apresentação das informações, dos conceitos e das ferramentas é sempre feita de forma objetiva e prática, de modo que propicie sua pronta compreensão e aplicação, sem, no entanto, abandonar a profundidade e seriedade necessárias ao tema.

Não se pretende abarcar e esgotar todos os temas que envolvem o terceiro setor nem sua gestão no Brasil. Propositadamente, optou-se por informar todos os que, direta ou indiretamente, estejam envolvidos com o tema ou que diretamente atuem nos processos de gestão de suas instituições e de seus projetos, a fim de permitir que dêem sua parcela de contribuição para o crescimento, amadurecimento e reflexão do terceiro setor neste país.

PARTE I

O TERCEIRO SETOR

CONCEITOS

O debate acadêmico e conceitual do terceiro setor é muito recente, sobretudo em países em desenvolvimento. Ainda assim, já se atingiu, no âmbito da universidade, um alto nível de reflexão. Investigadores e estudiosos reconhecem o surgimento de um novo campo acadêmico e de um novo recorte temático que ganha identidade.

Para esses estudiosos, o terceiro setor, como campo de estudo, tem características próprias. A diferença entre pesquisadores e os que atuam na área é relativa, o que facilita a circulação e ampliação do conhecimento. Por outro lado, isso também pode gerar um campo de conflito entre pesquisadores e líderes interessados no terceiro setor: segundo alguns pesquisadores, o caráter multidisciplinar desse campo de estudo reflete-se num recorte eminentemente empírico e num levantamento de hipóteses e modelos de médio alcance.

O grande desafio no campo do conhecimento do terceiro setor é inserir esse tema nos grandes campos das disciplinas clássicas, promovendo o diálogo entre diversas áreas e construindo bases teóricas mais sólidas. Além disso, há que se atentar para o risco de o estudo do terceiro setor produzir apenas estudos de caso empíricos, sem que avancemos para uma reflexão acadêmica e teórica mais profunda. Os estudos empíricos são importantes e fundamentais, mas não suficientes para o crescimento de um novo campo de conhecimento.

Apesar dessas questões enfrentadas nas universidades, muitos estudiosos do terceiro setor trataram de estabelecer uma conceituação, uma definição para esse campo, inclusive do ponto de vista histórico.

HISTÓRICO

A expressão "terceiro setor" é uma tradução do termo em inglês *third sector*, que, nos Estados Unidos, é usado junto com outras expressões, como "organizações sem fins lucrativos" (*nonprofit organizations*) ou "setor voluntário" (*voluntary sector*).

Na Inglaterra, legalmente se utiliza a expressão "caridades" (*charities*), o que reflete a origem histórica medieval do termo e ressalta o aspecto de obrigação religiosa das primeiras ações comunitárias. O termo "filantropia" (*philantropy*) também aparece com certa freqüência, sendo um conceito mais moderno e humanista da antiga caridade religiosa.

Na Europa continental predomina a expressão "organizações não-governamentais" (NGOs, ONGs em português). Sua origem remonta ao sistema de representações da Organização das Nações Unidas, que denominava assim as organizações internacionais que, embora não representassem seus países, tinham atuação significativa para justificar sua presença oficial na ONU. Por extensão, com a formulação de programas de cooperação internacional para o desenvolvimento estimulados pela ONU nas décadas de 1960 e 1970, cresceram na Europa Ocidental ONGs destinadas a promover projetos de desenvolvimento nos países de Terceiro Mundo. Assim, as ONGs européias estabeleceram parcerias em vários países, levando ao surgimento de ONGs também no hemisfério sul.

No Brasil e na América Latina, também se utiliza a expressão "sociedade civil". Esse conceito tem origem no século XVIII. Na época, designava um plano intermediário entre o Estado e a natureza pré-social, e inicialmente incluía as organizações particulares que interagiam na sociedade – inclusive as empresas e seus negócios – limitadas pelos sistemas legais nacionais. A sociedade civil também pode ser entendida como um conjunto de associações e organizações livres, não pertencentes ao Estado e não econômicas que, entretanto, têm comunicação com o campo público e com os componentes sociais.

Atualmente, a expressão "organizações da sociedade civil" vem sendo utilizada como um conjunto de instituições que se distingue do Estado – embora promova direitos coletivos – e do mercado.

As organizações que compõem o denominado terceiro setor têm características comuns, que se manifestam tanto na retórica como em seus programas e projetos de atuação:

• Fazem contraponto às ações do governo: os bens e serviços públicos resultam da atuação do Estado e também da multiplicação de várias iniciativas particulares.

• Fazem contraponto às ações do mercado: abrem o campo dos interesses coletivos para a iniciativa individual.

• Dão maior dimensão aos elementos que as compõem: realçam o valor tanto político quanto econômico das ações voluntárias sem fins lucrativos.

• Projetam uma visão integradora da vida pública: enfatizam a complementação entre ações públicas e privadas.

O *Manual sobre as instituições sem fins lucrativos no sistema de contas nacionais (Handbook on nonprofit institutions of national accounts)*, elaborado pela Divisão de Estatísticas das Nações Unidas em conjunto com a Universidade Johns Hopkins, adotou os seguintes critérios e características para definir as entidades que comporiam o terceiro setor:

• Devem estar organizadas formalmente, ou seja, com estrutura interna, com estabilidade relativa de objetivos formais, distinguindo sócios de não-sócios.

• São privadas, ou seja, separadas institucionalmente do governo.

• São auto-administradas ou capazes de administrar as próprias atividades.

- Não distribuem lucros a seus proprietários ou administradores.
- Têm alto grau de participação cidadã ou do voluntariado, isto é, podem ser livremente constituídas por qualquer grupo de pessoas, sendo a atividade da entidade livremente decidida por seus membros.

Esses critérios também foram referendados pelos participantes e pelas instituições latino-americanas no VI Encontro Ibero-Americano do Terceiro Setor, realizado em Barcelona em maio de 2002

HISTÓRICO

Entender as origens e o desenvolvimento histórico do que hoje chamamos terceiro setor é fundamental para que percebamos as mudanças estruturais e de atuação das organizações que o compõem.

Como em outros campos de estudo, essa evolução não ocorreu de forma homogênea em todas as partes do mundo. Cada região preserva suas características regionais, que refletem na forma de organização e atuação do terceiro setor na atualidade. Exemplo disso é o fato de, em alguns países, o governo ser chamado de primeiro setor e a iniciativa privada de segundo, enquanto em outros o primeiro setor é o empresarial e o segundo é o Estado. Do ponto de vista histórico, é correta a segunda afirmação, uma vez que as corporações de ofício e as primeiras organizações privadas surgiram em período anterior à criação dos Estados nacionais.

ORIGENS

As organizações sociais que hoje compõem o terceiro setor não são uma criação dos séculos XX e XXI. Na Europa, na América do Norte e mesmo na América Latina, os movimentos associativos tiveram origem nos séculos XVI e XVII, inicialmente com caráter religioso ou político. As dissidências religiosas ocorridas na Europa propiciaram que o trabalho organizado socialmente estivesse intimamente relacionado com o trabalho religioso. Nesse período inicial, as organizações sociais também foram influenciadas pelos sistemas de governo e pelas políticas nacionais vigentes.

Essa situação variou pouco durante os séculos seguintes, mas a partir dos anos 1800 surgem as associações patronais e os sindicatos de trabalhadores (estes últimos criando posteriormente partidos políticos que defendessem seus interesses no âmbito da política pública do Estado). A relação da sociedade civil e do setor privado com o Estado e com o governo intensificou-se e diversificou-se. Durante esse período, os movimentos associativos adotaram uma forma particular de atuação, em que a Igreja e o Estado determinavam os limites, os horizontes e as atividades da sociedade civil organizada. Assim, por seus vínculos com o Estado e a Igreja, as associações acabaram por adquirir características presentes nessas duas instituições: participação massiva e politizada e uma hierarquia centralizadora e controladora.

Cabe observar que as mudanças ocorridas na estrutura e no papel do Estado ao longo dos séculos XIX e XX terão grande influência no desenho das organizações sociais e na natureza da relação que estas estabelecem com o Estado e o governo. Assim, durante o apogeu do Estado liberal há forte crença nas virtudes abstratas da lei e confiança nos instrumentos constitucionais; além disso, o individualismo da visão da burguesia ascendente se reflete no distanciamento entre o Estado e a sociedade.

A crise do Estado liberal após a Primeira Guerra Mundial altera essa situação: o pensamento liberal pressupõe um papel mais ativo do Estado de Bem-Estar Social (*Welfare State*) nos âmbitos econômico, social e cultural, numa clara tentativa de reaproximação entre o Estado e a sociedade. Já o Estado Socialista apresenta-se como poder da classe trabalhadora em forte oposição ao individualismo.

Os temas e preocupações da sociedade civil e do setor privado foram ouvidos e incorporados às propostas de desenvolvimento e às políticas sociais, econômicas e ambientais. O grau e a amplitude dessa incorporação dependeram da natureza da relação entre este Estado e os outros atores, como se demonstrará a seguir.

A partir da Segunda Guerra Mundial, profundas mudanças políticas, sociais e econômicas geraram mudanças nos centros de poder, revolução nos sistemas de comunicação e aumento da produtividade agrícola e industrial. Essa nova situação também propiciou aumento da pobreza, da violência, de doenças, da poluição ambiental e de conflitos religiosos, étnicos, sociais e políticos. O mundo se viu diante de problemas locais, regionais, nacionais e mundiais que dependiam da articulação de um amplo espectro de agentes sociais.

Nos anos 1970, sobretudo na América Latina, as organizações da sociedade civil surgiram com expressivo caráter político, atuando fortemente na redemocratização dos países, com ações voltadas para uma política social de desenvolvimento comunitário e para a execução de atividades de assistência e serviços nos campos de consumo, educação de base e saúde, entre outros.

Na década de 1980, a conjuntura latino-americana alterou-se significativamente. A maioria dos países restabeleceu um regime democrático, vivendo fortes crises econômicas e altos índices inflacionários. Os governos passaram a adotar uma política neoliberal de desenvolvimento, o que agravou a situação de pobreza nos países do Terceiro Mundo. Paralelamente, ocorreu o crescimento do setor informal da economia e aumentou o descrédito do Banco Mundial e das instituições internacionais quanto ao destino dado pelos órgãos governamentais aos recursos alocados em programas de desenvolvimento social.

O estudo *Global civil society – Dimensions of the nonprofit sector*[1] aponta os seguintes desafios para as organizações do terceiro setor neste início do século XXI:

AMÉRICA CENTRAL E ORIENTAL

• **Melhorar a legitimidade das organizações:** em razão de um sistema legal dúbio e falho, ainda há grandes problemas com a legitimidade das ONGs.

• **Treinar e capacitar os profissionais e voluntários atuantes nas organizações.**

- **Desenvolver recursos humanos, físicos e materiais:** é preciso criar bases para a sustentação financeira do setor, seja criando uma cultura para a filantropia e para as doações, seja ampliando as contribuições empresariais.

PAÍSES DESENVOLVIDOS

- **Renovar as estratégias:** ação necessária para preservar e reconquistar a identidade e os valores do terceiro setor por meio de planejamento, treinamento, gestão, entre outras medidas.
- **Garantir efetividade e responsabilidade financeira (*accountability*):** a fim de obter o apoio dos cidadãos, as organizações devem garantir eficiência em suas atividades e projetos.
- **Ampliar o apoio ao terceiro setor:** cada vez mais, outros setores da sociedade devem ampliar seu apoio às organizações do terceiro setor.
- **Promover a integração internacional levando em conta a globalização:** o terceiro setor sofrerá as conseqüências dos processos de integração econômica ou política que vêm ocorrendo em diversas regiões do mundo, bem como do processo de globalização, e deverá fazer frente à complexidade da sociedade atual, em que diferentes atores e agentes (governo, mercado e poder público) atuam de forma inter-relacionada e intensa. Trata-se, portanto, de um cenário novo e desafiador para o terceiro setor.

AMÉRICA LATINA

- **Tornar o terceiro setor uma realidade:** é preciso criar um conceito comum para o terceiro setor, com interesses e necessidades compartilhadas por todas as organizações.
- **Treinar e capacitar os profissionais e voluntários atuantes nas organizações:** é necessário investir na capacitação, no treinamento e na infra-estrutura, a fim de permitir a ampliação de parcerias com o governo.
- **Formar parcerias com o governo e o setor privado:** entre outros fatores, a falta de transparência na regulamentação e nos processos

entre governo e terceiro setor e o histórico de clientelismo político nos países da América Latina contribuíram para a ausência de uma maior cooperação entre os setores. Ampliar a cooperação entre esses setores para garantir, no futuro, maior autonomia para o terceiro setor é prioritário.

Em linhas gerais e tomando por base o estudo comparativo da Johns Hopkins University, o crescimento do terceiro setor ocorrido nos últimos anos se deve:

• **À amplitude e gravidade do que se chamou "crise do Estado"** e se abateu sobre a maioria dos países do mundo nas últimas décadas. Tal crise provocou o questionamento e a reformulação do papel tradicional do Estado, ainda que por diferentes motivos nos países desenvolvidos, em desenvolvimento ou nos antigos países socialistas europeus.

• **Ao aumento do número, da abrangência e das áreas de atuação das organizações do terceiro setor,** motivado pela dúvida de que o Estado tivesse capacidade de enfrentar os problemas de bem-estar social, desenvolvimento e meio ambiente atuais, e também pela revolução da informação – que, ao permitir acesso maior e mais fácil às informações, levou a sociedade civil a se manifestar e organizar.

• **Ao "Consenso de Washington"[2],** que pregava que os problemas atuais dos países desenvolvidos e em desenvolvimento seriam resolvidos por meio do fomento ao mercado privado. A chamada "terceira via" foi fruto da busca de uma alternativa a esse modelo americano. Diante das crises financeiras e sociais ocorridas em diversas partes do mundo, esse consenso tem sido fortemente atacado. As organizações do terceiro setor, por suas características, têm importância estratégica na busca de um caminho intermediário entre mercado e Estado.

Outros fatores macroeconômicos e sociais também influenciaram o crescimento do terceiro setor e sua importância em todo o mundo nos últimos anos:

- **Terceira Revolução Industrial:** a tecnologia atual aumentou drasticamente a produtividade do trabalho e provocou uma mudança no processo produtivo, eliminando milhões de postos de trabalho. A mão-de-obra sem ocupação acabou se inserindo na chamada economia informal, o que, em termos sociais, aumenta a demanda pelos serviços estatais e reduz o número de contribuintes capazes de financiar essas despesas.
- **Revolução das comunicações:** a revolução tecnológica em curso permite à boa parcela da humanidade a comunicação instantânea e barata e o acesso a um volume de informações sem precedentes na História. Do ponto de vista do terceiro setor, os efeitos aconteceram em dois níveis: no macroeconômico, a tecnologia favoreceu a integração dos mercados e reduziu a margem de atuação e manobra dos Estados; no microeconômico, alterou a estrutura das organizações, que passaram a atuar de forma mais horizontalizada e articulam-se em redes. O próximo passo, pelo menos na maioria dos países, é a construção de agendas locais, regionais e nacionais comuns para as diversas políticas públicas.
- **Mudança da agenda de financiamento internacional:** ao contrário do que ocorria nas décadas de 1960 e 1970, os países da América Latina deixam de ser as áreas prioritárias de investimento das agências de desenvolvimento e cooperação multilaterais e nacionais, que passam a apoiar iniciativas na África (palco de conflitos civis e religiosos durante décadas) e no Leste Europeu (democratizado após a queda dos regimes autoritários de esquerda).

O terceiro setor dos 22 países estudados pela Johns Hopkins University teria um Produto Interno Bruto (PIB) de US$ 1,1 trilhão e, se fosse considerado um país, seria a oitava economia do mundo – à frente de Brasil, Rússia, Canadá e Espanha (tendo como base o PIB de 1995, ano do estudo).

O estudo comparativo também chegou a algumas constatações importantes:

- **O terceiro setor é maior em países desenvolvidos:** em linhas gerais, o terceiro setor é maior nos países desenvolvidos do que nos em desenvolvimento, estando em menor evidência na América Latina e Europa Oriental.
- **Não existe mais o mito de que o terceiro setor nos Estados Unidos é maior que em outros países:** os Estados Unidos, tidos como o celeiro do terceiro setor, não geram o maior número de empregos na área.
- **Os gastos do governo com questões sociais não refletem o tamanho do terceiro setor:** havia a crença de que, quanto maior o investimento do governo no bem-estar social, menor o terceiro setor. Isso não é verdade, uma vez que existem países desenvolvidos com um grande terceiro setor e países em desenvolvimento em que esse setor é pequeno.

Apesar dos dados significativos levantados pela pesquisa, também se chegou à conclusão de que o terceiro setor permanece como o "continente perdido", invisível para a maioria dos políticos, líderes empresariais, mídia e imprensa e para a grande maioria dos cidadãos.

■

SITUAÇÃO NA
AMÉRICA LATINA

Nos últimos anos, uma série de pesquisas sobre o terceiro setor vêm sendo realizadas por organizações internacionais, por organizações não-governamentais e pela iniciativa privada. A divergência quanto ao conceito, à metodologia e aos critérios de classificação dos diversos segmentos do terceiro setor leva a resultados significativamente diferentes em relação ao número de organizações e instituições existentes, assim como em relação à área de atuação, a fontes de financiamento etc. A confusão da terminologia também faz que esse setor seja ignorado ou subestimado nas estatísticas econômicas, além de reduzir seu porte e valor em todo o mundo. Para termos um quadro realmente claro do terceiro setor é preciso que haja uma homogeneização das metodologias e das classificações das instituições.

A seguir são apresentadas as pesquisas elaboradas pelas Nações Unidas no relatório da Civicus – Aliança Mundial para a Participação dos Cidadãos. A classificação utilizada merece ser revista e completada por todos os estudiosos e interessados. Tem como pontos positivos ser uma pesquisa com reconhecimento internacional e permitir uma análise comparativa entre as regiões do planeta.

Também são fornecidos dados do Projeto Comparativo Internacional sobre o Setor sem Fins Lucrativos da Universidade Johns Hopkins, estudo da situação do terceiro setor em 22 países realizado entre 1991 e 1995 e considerado por muitos um dos mais importantes e significativos de análise comparativa do terceiro setor em todo o mundo. Tal documento é referência para os mais diferentes países, superando o próprio relatório da Civicus.

CLASSIFICAÇÃO DAS ORGANIZAÇÕES DO TERCEIRO SETOR

RELATÓRIO DA CIVICUS

COMUNIDADE Durante os anos 1960 e 1970 a ditadura militar implantada em diversos países da América Latina provocou, entre inúmeros outros efeitos, a redução da participação civil no Estado e nas empresas. A impossibilidade de dialogar com esses setores levou os movimentos associativos latino-americanos a atuar no âmbito local, voltando-se para as comunidades.

O trabalho comunitário durante esse período tinha um caráter de reunião. Os ritos e as dinâmicas davam grande importância à relação "cara a cara" entre os indivíduos, havendo uma comunicação igualitária e primordialmente conceitual. Os membros da comunidade reuniam-se em um espaço comum, colocavam suas cadeiras em círculo e iniciavam a troca de idéias e opiniões sobre sua realidade e seus problemas, muitas vezes promovendo discussões de cunho religioso.

Isso foi reflexo das teorias pedagógicas de Paulo Freire e Ivan Ilitch, que pregam uma "educação popular" e adotam, em maior e menor grau, uma cultura pertencente às esquerdas marxistas.

Entretanto, é com a Teologia da Libertação que ocorrerá o grande impulso no movimento do ativismo social durante a década de 1970 na América Latina. Essa doutrina da Igreja Católica pregava que o Evangelho reflete uma opção preferencial pelos pobres. Essa escolha foi oficialmente manifestada pelos bispos latino-americanos durante reunião na Colômbia, em 1968. A intensidade desse movimento nos diversos países latinos variou, havendo casos em que chegou a atingir âmbito nacional, como no Brasil. Entretanto, independentemente de sua amplitude ou de sua influência variáveis, apareceram representantes da Teologia da Libertação em diversos países da América Latina: Gustavo Gutierrez (Peru), Leonardo Boff (Brasil), Pablo Richards (Chile e Costa Rica), Otto Maduro (Venezuela), Juan Luís Segundo (Uruguai) e outros[3].

Historicamente, o fato de a Igreja católica ter sido "importada" com toda sua hierarquia, seus rituais e tradições pelos colonizadores europeus acabou tornando essa instituição inacessível à população e distante dela. O movimento da Teologia da Libertação e a criação e implantação das Comunidades Eclesiais de Base (CEBs) em diversos países da América Latina tiveram papel importante na aproximação entre população e Igreja, pois pela primeira vez esta passou a atuar diretamente nas bases.

O crescimento das cidades e da população urbana na América Latina, bem como a demanda de bens públicos básicos – como moradia, água, esgoto, transporte e segurança –, cresceu geometricamente. É por esse motivo que as associações geralmente mobilizam um grupo de pessoas em razão de problemas eminentemente locais e de natureza urbana, vendo o Estado como uma instância inacessível.

A atuação das organizações, no entanto, é desarticulada e bastante descentralizada: em vez de centrais de comando, formam-se redes de relacionamento em que a autonomia e a iniciativa local são condições necessárias. Essa estratégia de atuação em redes permanece até os dias de hoje, sendo utilizada pelas organizações do terceiro setor na América Latina e em outras partes do mundo.

MOVIMENTOS SOCIAIS A forma mais representativa dos movimentos sociais são as associações de moradores, instituições de natureza civil criadas de maneira legal (registradas, com diretoria, lideranças eleitas e com o direito de zelar pelos interesses coletivos do bairro ou da comunidade) e legitimadas para negociar com terceiros, especialmente com o Estado, que deve suprir as demandas dos representados.

De acordo com o relatório da Civicus, as associações de moradores, juntamente com os núcleos comunitários eclesiais e com projetos subsidiados por agências estrangeiras, apresentaram o suporte civil para o aprendizado de uma pequena cultura de ação não-governamental que se formava pelas bases a despeito da existência dos governos autoritários no continente.

ORGANIZAÇÕES NÃO-GOVERNAMENTAIS São instituições privadas sem fins lucrativos que, ao obter algum resultado econômico de suas atividades, devem reinvesti-lo na atividade-alvo da organização. Apesar de não-governamentais, os fins a que essas instituições se dedicam têm características de serviço público, ainda que em escala diferente do realizado pelo Estado.

Segundo a Civicus, diferentemente dos movimentos sociais, sindicatos de trabalhadores e associações de moradores, as ONGs não têm um caráter representativo, podendo falar somente em nome próprio. Como organizações particulares, elas têm se multiplicado em função das demandas e iniciativas existentes. De qualquer modo, isso não lhes traz um problema de legitimidade.

É pela eficiência e importância do trabalho que vem sendo desenvolvido por essas organizações que sindicatos, associações, movimentos, redes sociais, igrejas, órgãos governamentais e universidades formam parcerias para trabalhar com as ONGs em programas, projetos, seminários, campanhas etc., conseguindo, assim, potencializar seu trabalho.

UNIVERSIDADE JOHNS HOPKINS – PROJETO COMPARATIVO INTERNACIONAL SOBRE O SETOR SEM FINS LUCRATIVOS De acordo com o relatório da Johns Hopkins University, o setor sem fins lucrativos emprega 19 milhões de pessoas, gerando recursos de US$ 1,1 trilhão em todo mundo.

Em que pese a imensa diversidade de nomes, classificações e definições das organizações que compõem o terceiro setor, os pesquisadores encontram aspectos comuns a elas:

- **Organizações:** têm estrutura e existência institucional.
- **Instituições privadas:** estão institucionalmente separadas do Estado.
- **Instituições sem fins lucrativos:** não distribuem lucros ou resultados entre seus dirigentes ou gestores (no caso brasileiro, tal distribuição passou a ser permitida com a promulgação da Lei Federal das Organizações da Sociedade Civil de Interesse Público, de 1999).
- **Instituições autogovernadas:** fundamentalmente têm controle sobre os próprios assuntos.
- **Instituições voluntárias:** atraem contribuições voluntárias (de dinheiro ou de dedicação).

Apesar de o estudo comparativo ter fornecido referências para o desenvolvimento da pesquisa em diferentes nações, ele não pode ser totalmente aplicado aos países em desenvolvimento, sobretudo na América Latina, onde há alto nível de informalidade das organizações – o que não impede que elas atuem de forma eficiente, alterando a realidade social e econômica da região e de sua população.

SITUAÇÃO NO BRASIL

Durante as décadas de 1970 e 1980, as organizações não-governamentais

[...] engajaram-se na luta pela multiplicação e pelo fortalecimento das entidades representativas da sociedade civil, e o fizeram na perspectiva da redução das desigualdades sociais, da construção de espaços públicos que permitissem a participação cidadã na negociação de uma nova agenda de direitos que pautasse um novo compromisso do que entendemos por interesse público.

Dos trabalhos locais, voltados para a construção de organizações de base representativa de múltiplos interesses e demandas, especialmente dos segmentos mais pobres e discriminados da nossa sociedade, muitas ONGs transitaram, principalmente durante os anos 90, para um trabalho de articulação de redes e fóruns e para agregar novos conteúdos e novos temas a uma agenda de direitos, ampliando os objetivos, além da defesa dos direitos individuais, passando a defender também a ampliação dos direitos coletivos.[4]

Paralelamente às transformações políticas e econômicas ocorridas no Brasil nas últimas décadas, ocorreram também alterações no papel internacional das ONGs. Como reflexo da economia liberal e globalizada, também as ONGs criaram redes e fóruns de discussão com seus pares em outros países em busca de reconhecimento, aprendizado e troca de experiências.

Durante a década de 1990, essa articulação entre as ONGs foi estimulada pela organização de cúpulas sociais pelas Nações

Unidas, o que permitiu a construção de fóruns globais (reuniões livres, independentes, de debates e de formulação de propostas) que em muito contribuíram com as conferências oficiais. Como resultado desse processo internacional, houve a construção de uma agenda política mundial, o que levou temas como meio ambiente, gênero e raça, entre outros, a ganhar a força que têm hoje na mídia, na sociedade e no governo de vários países.

Segundo Andrés Falconer[5], as organizações do terceiro setor no Brasil podem ser catalogadas como mostramos a seguir.

IGREJAS E INSTITUIÇÕES RELIGIOSAS

A Igreja, principalmente a católica, teve e tem papel decisivo na formação do terceiro setor no Brasil. As Santas Casas foram pioneiras na área e, após a proclamação da República, quando da separação entre Estado e Igreja, tornaram-se as primeiras organizações sem fins lucrativos do país. Instituições ligadas a igrejas protestantes, espíritas e afro-brasileiras também têm desenvolvido papel importante na conformação do setor no país, ainda que numericamente sejam menores. Se considerarmos todas as organizações criadas ou mantidas por igrejas, veremos que elas representam 38,6% das organizações no Brasil, uma para cada três existentes.

ORGANIZAÇÕES NÃO-GOVERNAMENTAIS E MOVIMENTOS SOCIAIS

Ambos os termos são mais utilizados pelas agências internacionais. Para alguns autores, as ONGs e os movimentos sociais têm origem nos centros de educação popular e de promoção social. Trabalham, predominantemente, com a defesa de direitos, por meio da capacitação de pessoas e da assessoria para mobilização popular, articulação política e disseminação de informação. Aqui também se incluem as organizações de pesquisa criadas como alternativa ao ensino tradicional.

EMPREENDIMENTOS SEM FINS LUCRATIVOS

Embora ainda pequeno, esse setor tem crescido nos últimos anos. Em vez de os serviços oferecidos por essas comunidades serem gratuitos, a população precisa pagar por eles. É o caso de alguns clubes de futebol, instituições culturais, entidades recreativas etc. Essa atuação confere um caráter comercial ao terceiro setor.

> O fato de que estas instituições operam como empreendimentos comerciais altamente rentáveis não é tão central para a dificuldade de compreendê-las no modelo conceitual do terceiro setor quanto é a constatação de que essas entidades, em muitos casos, são responsáveis pela geração de fortunas para seus fundadores e diretores, chamados eufemisticamente de mantenedores.[6]

FUNDAÇÕES EMPRESARIAIS

Trata-se da "cidadania empresarial" ou "filantropia empresarial". Como bem lembra Falconer, no país não se faz distinção entre fundações independentes (não ligadas a grupos empresariais) e fundações empresariais (consideradas componentes do terceiro setor por estarem formalmente ligadas a empresas, sendo controladas por elas). Pesquisa realizada pelo Instituto de Pesquisa Econômica Aplicada (Ipea) mostrou que 67% das empresas na região Sudeste realizam algum tipo de ação em benefício das comunidades, enquanto nas regiões Nordeste e Sul os percentuais são de 55% e 46%, respectivamente.

Vejamos a seguir mais um importante documento acerca das ONGs no Brasil.

RELATÓRIO FASFIL

Um documento importante para a compreensão do terceiro setor no Brasil é o relatório sobre as Fundações Privadas e Associações sem Fins Lucrativos no Brasil (Fasfil), publicado em 2002 pelo Instituto Brasileiro de Geografia e Estatística (IBGE). O relatório é fundamental não só por trazer dados e análises do estado da arte recente, mas também por adotar os mesmos critérios conceituais utilizados pelas Nações Unidas e pela Universidade Johns Hopkins, o que permite a comparação com pesquisas publicadas em outros países. É bom lembrar que os critérios utilizados na elaboração do documento foram adaptados à realidade jurídica brasileira à luz do novo Código Civil.

Segundo tais critérios, fazem parte das Fasfil: organizações sociais, organizações da sociedade civil de interesse público, fundações mantidas com recursos privados e fundações ou associações estrangeiras com filial no país. De acordo com o documento, há no Brasil 276 mil organizações dessa natureza.

Entre outros dados abordados no relatório, destacamos os que nos parecem mais interessantes.

NÚMERO E DISTRIBUIÇÃO TERRITORIAL
• As 276 mil Fasfil representam 5% do total de organizações (públicas, privadas lucrativas e privadas não-lucrativas) formalmente cadastradas no país.
• A maior parte das Fasfil encontra-se no Sudeste (44%), mais especificamente em dois estados: São Paulo (21%) e Minas Gerais (13%). O Sul (23%) e o Nordeste (22%) abrigam, respectivamente, cerca de um quinto das organizações. Seguem-se o Centro-Oeste, com 7% e, por fim, o Norte, com 4%.

ANO DE FUNDAÇÃO E PORTE
• As Fasfil são relativamente novas, pois cerca de dois terços delas (62%) foram criados a partir da década de 1990. A cada década se acelera o ritmo de crescimento: as que nasceram nos anos de 1980 são 88% mais numerosas do que as que surgiram nos anos de 1970; esse percentual é de 124% para as que foram criadas na década de 1990 em relação à década anterior.
• São, em sua grande maioria, pequenas organizações: 77% das Fasfil não têm nenhum funcionário e somente 7% delas contam

com dez ou mais trabalhadores assalariados. No entanto, observa-se uma elevada concentração da mão-de-obra em poucas organizações, uma vez que somente 1% das Fasfil – as que empregam cem ou mais pessoas – reúne 61% do total das pessoas que trabalham na área. Em outras palavras, 2,5 mil entidades absorvem quase um milhão de trabalhadores.

ÁREAS DE ATIVIDADE

• Pouco mais de um quarto das Fasfil (26%) dedica-se diretamente a atividades confessionais e, portanto, está ligado a igrejas e instituições religiosas. Note-se, contudo, que a influência da religião no âmbito dessas entidades é bem mais ampla, apesar de não ser possível dimensioná-la com exatidão. Isso porque as instituições de origem religiosa que desenvolvem simultaneamente outras atividades (ensino, cuidados com grupos socialmente vulneráveis) não foram consideradas religiosas, tendo sido classificadas em função das ações que desenvolvem (saúde, educação ou assistência social).

• Em segundo lugar, vêm as organizações de desenvolvimento e defesa de direitos (16%), seguidas pelas patronais e profissionais (16%). O quarto lugar é ocupado pelas instituições que realizam atividades culturais e recreativas (14%), seguidas daquelas que prestam serviços de assistência social (12%). As instituições que desenvolvem as demais atividades agregam, respectivamente, menos de 10% do total: educação (6%), saúde (1%), meio ambiente e habitação (menos de 1%).

EMPREGADOS E REMUNERAÇÃO

• As 276 mil Fasfil têm 1,5 milhão de assalariados, o que corresponde a 5,5% dos empregados de todas as organizações formalmente registradas no país. A maior parte desses trabalhadores encontra-se no Sudeste (56%). Juntos, os estados de São Paulo, Minas Gerais e Rio de Janeiro reúnem 54% desses assalariados. Outros 20% estão no Sul e 14% estão no Nordeste.

A região Centro-Oeste abriga 7% dos empregados das Fasfil, e a Norte, 3%.

• É nas áreas de saúde e de educação que se concentra o maior número de assalariados: apesar de as entidades dessas áreas serem relativamente pouco numerosas – somente 8% –, elas empregam mais da metade dos trabalhadores das Fasfil (52%). A assistência social emprega 227 mil pessoas, o que corresponde a 15% do total de trabalhadores das Fasfil. As organizações culturais e recreativas, religiosas, patronais e profissionais, de desenvolvimento e defesa de direitos, de meio ambiente e de habitação são numerosas, porém de pequeno porte: elas representam três quartos (72%) do total. No entanto, empregam apenas um quarto dos empregados do setor.

• Em média, os trabalhadores da área de educação são os mais bem pagos: seis salários mínimos por mês. Esse valor é três vezes superior ao observado na área de habitação (2,1 salários mínimos) e duas vezes maior do que o verificado nas áreas de religião e assistência social (2,9 e 2,8 salários mínimos, respectivamente). Os assalariados da área de meio ambiente também percebem, em média, uma renda mensal superior aos demais grupos: 5,2 salários mínimos por mês. As remunerações das demais áreas oscilam entre quatro (associações patronais e profissionais) e 4,4 salários mínimos (cultura e recreação).

TAXA DE CRESCIMENTO

• Foi expressivo o crescimento das Fasfil, especialmente na década de 1990. Entre 1996 e 2002, o número dessas entidades mais que dobrou, passando de 105 mil para 276 mil – o que correspondeu a um aumento de 157%. Essa variação foi bem maior do que a observada no conjunto de organizações (públicas, privadas lucrativas e privadas não-lucrativas) formalmente registradas no país, que foi de 66%. Apesar de esse crescimento ter sido verificado em todas as áreas de atuação, merecem destaque meio ambiente e desenvolvimento e defesa de direitos, que quadruplicaram o número de entidades (309% e 303%, respectivamente), e as associações patronais e profissionais, que mais que triplicaram (252%).

• No mesmo período, o número de pessoas ocupadas nas Fasfil aumentou em 500 mil: totalizaram um milhão de trabalhadores em 1996 e passaram para 1,5 milhão em 2002. Note-se, contudo, que o crescimento dos empregos (48%) foi, proporcionalmente, bem menor que o do número de entidades (157%). Dessa combinação, resultou uma diminuição generalizada do tamanho das entidades.

Como já foi mencionado anteriormente, a dificuldade de definir o que está contido no terceiro setor tem como uma de suas principais conseqüências o desconhecimento de dados que quantifiquem e demonstrem a importância e a atuação desse segmento no que se refere a número de organizações envolvidas, empregos gerados, capital envolvido e gerado etc. Assim, deixamos de ter na América Latina e no Brasil uma correta e importante análise do terceiro setor, o que dificulta ainda mais o trabalho de todos os profissionais e estudiosos interessados no tema. Isso pode ser fator de alto risco em momentos como o atual, quando o poder público estabelece como uma de suas estratégias de ação parcerias com a sociedade civil organizada.

Apenas para demonstrar essa disparidade de dados, vejamos a tabela a seguir:

FONTES	PERÍODO DAS PESQUISAS	NÚMERO DE ORGANIZAÇÕES
Lester e Helmut	1978 a 1991	76 a 190 mil
Relatório da Civicus – ONU	1920 a 1986	6.460
IBGE	1996 a 2002	276 mil

De forma ampla, as organizações do terceiro setor podem ser representadas pela figura abaixo:

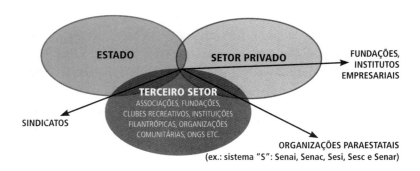

ASPECTOS LEGAIS NO BRASIL

Nos últimos anos, houve uma profunda mudança no papel do Estado brasileiro diante da sociedade. O Estado, tanto nas esferas da Federação como na dos estados, do Distrito Federal e dos municípios, vem, paulatinamente, adquirindo uma postura mais participativa nos processos de decisão sobre os diversos temas afeitos às responsabilidades do governo.

Tal mudança de postura reflete-se em inúmeras iniciativas e ferramentas que surgiram buscando maior diálogo e transparência na gestão da coisa pública. Algumas dessas medidas são a multiplicação dos orçamentos participativos e dos mecanismos de controle da sociedade instituídos pelos órgãos governamentais; a ampliação das parcerias e dos convênios com entidades da sociedade civil; a constituição do Conselho da Comunidade Solidária e seus diversos programas sociais; o repasse de verbas públicas para organizações sociais; o acesso pelo terceiro setor aos fundos públicos de vários ministérios, entre outras.

Experiências e modelos de governo participativo existem em diversas regiões do país e comprovam o êxito das mudanças geradas no poder público, no setor privado e nas organizações do terceiro setor a partir dessa nova perspectiva.

Entre as transformações importantes promovidas pelo governo, podemos citar a promulgação de uma legislação regulatória do terceiro setor, especialmente as Leis Federais n.º 9.608/98 e n.º 9.790/99. Entretanto, se comparado com outros países, o Brasil ainda necessita de uma legislação mais sistematizada e moderna, que incentive a participação dos diversos atores sociais que têm papel importante na busca de uma sociedade mais livre, justa e solidária, que almeje a erradicação da pobreza e da marginalização, a redução das desigualdades sociais e regionais e a promoção do bem de todos sem qualquer tipo de discriminação, como determina a Constituição Federal.

Finalmente, cabe salientar que atualmente tramitam no Senado e no Congresso diversos projetos de lei que tratam de assuntos relacionados às organizações do terceiro setor – como a alteração do regime fiscal e tributário e a ampliação da fiscalização por parte do poder público –, fomentando a parceria entre governo e sociedade civil em várias áreas, ampliando as possibilidades de doação às organizações e até criando um programa nacional de apoio e fortalecimento econômico das entidades do terceiro setor. Diversas organizações, como a Associação Brasileira de Organizações Não-Governamentais (Abong), a Rede de Informação do Terceiro Setor (Rits) e o Grupo de Institutos, Fundações e Empresas (Gife), entre outras, acompanham essas propostas e disponibilizam informações em suas páginas na internet.

FORMAS JURÍDICAS E TÍTULOS PARA O TERCEIRO SETOR

A legislação brasileira permite que a sociedade se organize nas seguintes formas jurídicas:

ASSOCIAÇÃO

É a pessoa jurídica criada com base na união de idéias e esforços de pessoas em torno de um propósito que não tenha finalidade lucrativa. A sociedade civil também é criada pela união de pessoas, mas via de regra tem finalidade de lucro. Segundo Maria Helena Diniz,

> [...] tem-se associação quando não há fim de lucro ou intenção de dividir o resultado, embora tenha patrimônio, formado por contribuição

de seus membros para obtenção de fins culturais, educacionais, esportivos, religiosos, recreativos etc. Nem sempre uma associação terá fins sociais – exemplo disso são os clubes esportivos com acesso restrito a seus sócios.7

Diante das alterações do novo Código Civil brasileiro, é preciso esclarecer que as organizações do terceiro setor constituídas como associações são entidades sem finalidade econômica, entendendo-se por finalidade aquilo a que se presta a entidade, ou seja, o fim para o qual foi concebida. Entretanto, é permitida a atividade econômica, ou seja, aquela em que haja circulação de bens ou direitos de forma onerosa ou não, desde que não gere lucro e este seja distribuído. Os recursos gerados são aplicados nas atividades da instituição.

FUNDAÇÃO

Constituição especial de pessoa jurídica, pois pode ser criada pela vontade de um único indivíduo. É constituída pela união de bens com uma finalidade determinada pelo seu instituidor. Segundo Eduardo Szazi[8], é "patrimônio destinado a servir, sem intuito de lucro, a uma causa de interesse público determinada, que adquire personificação jurídica por iniciativa de seu instituidor". As fundações podem ser criadas pelo governo (são pessoas jurídicas de direito público), por indivíduos e por empresas.

ORGANIZAÇÕES RELIGIOSAS

Anteriormente enquadradas na figura jurídica de associação, passaram, por força da Lei Federal n.º 10.825/03, a ser classificadas como uma terceira categoria jurídica.

Cabe observar que o termo "instituto" é utilizado por diversas organizações, cuja característica principal é se dedicar à pesquisa, educação ou produção científica, não constituindo uma forma de organização do ponto de vista jurídico.

UTILIDADE PÚBLICA FEDERAL

As sociedades civis, associações ou fundações poderão solicitar ao Ministério da Justiça a declaração de Utilidade Pública Federal desde que sirvam desinteressadamente à coletividade e cumpram os requisitos legais (Lei Federal n.º 91/35, regulamentada pelo Decreto n.º 50.517/61).

Ao ser declarada de Utilidade Pública Federal, a entidade tem de apresentar anualmente um relatório de serviços prestados, além de demonstrativos de receitas e despesas do exercício. Terá como vantagens a possibilidade de oferecer dedução fiscal no imposto de renda para doações de pessoas jurídicas e o acesso a subvenções e auxílios da União Federal e de suas autarquias. Também pode realizar sorteios mediante prévia autorização do Ministério da Justiça.

REGISTRO NO CONSELHO NACIONAL DE ASSISTÊNCIA SOCIAL (CNAS)

Poderão solicitar registro no CNAS as entidades sem fins lucrativos que promovam as atividades elencadas na Resolução n.º 31/1999, como: integração de trabalhadores ao mercado de trabalho, assistência educacional ou de saúde, entre outras.

O pedido pode ser concedido a entidades com menos de um ano de existência legal, desde que seu estatuto estabeleça as seguintes diretrizes:

• Aplicar os recursos integralmente no Brasil e na manutenção ou desenvolvimento de seus objetivos institucionais, não distribuindo dividendos ou patrimônio sob nenhuma forma.

• Diretores, conselheiros, sócios, instituidores e benfeitores não são remunerados ou recebem vantagens ou benefícios, direta ou indiretamente.

• Em caso de dissolução ou extinção, a entidade destinará o patrimônio remanescente a uma organização congênere registrada no CNAS ou entidade pública.

• Prestar serviços permanentes e sem nenhuma discriminação de clientela.

CERTIFICADO DE ENTIDADE BENEFICENTE DE ASSISTÊNCIA SOCIAL (Cebas)

Para conseguir o registro, a entidade deve demonstrar que nos três anos imediatamente anteriores ao pedido esteve legalmente constituída e em funcionamento, que esteve inscrita no Conselho Municipal de Assistência Social de sua cidade sede e registrada no CNAS.

Aprovado o pedido, será expedido o certificado de entidade de fins filantrópicos, com validade de três anos, podendo ser renovado por igual período. A principal vantagem é a isenção da cota patronal da contribuição da previdência incidente sobre a folha de pagamento da entidade, que dependerá de procedimento específico no INSS.

ORGANIZAÇÃO DA SOCIEDADE CIVIL DE INTERESSE PÚBLICO

Em julho de 1997, o Conselho da Comunidade Solidária iniciou o processo de interlocução com representantes das organizações da sociedade civil e do governo para reformular as leis que regem o terceiro setor. O objetivo era sanar as incompatibilidades da legislação diante da nova atuação e dos novos papéis que as organizações do terceiro setor vêm desempenhando nos últimos anos.

Em outubro de 1997 foram discutidos os principais problemas e formados grupos de trabalho, que, em maio de 1998, apresentaram os resultados de sua empreitada. O Projeto de Lei foi encaminhado ao Legislativo em julho do mesmo ano. Após inúmeros debates e discussões, foi aprovada a nova legislação: Lei Federal n.º 9.790/99, conhecida como Lei das Oscips. Esta não substituiu a Declaração de Utilidade Pública Federal fornecida pelo Ministério da Justiça, nem o Cebas.

Diante da novidade do assunto, o legislador achou por bem estabelecer no texto da Lei das Oscips um "período de experiência" que terminou em 23 de março de 2004. Durante esse tempo, as entidades sem fins lucrativos qualificadas com base em outros diplomas legais também podiam se qualificar como Oscip sem perder os benefícios anteriores. Após essa data, as organizações tiveram de optar por um dos dois regimes.

As Oscips são organizações que efetivamente têm finalidade pública. Para obter a qualificação, a organização deve ser pessoa jurídica de direito privado sem finalidade lucrativa, atender aos objetivos sociais e às normas estatutárias previstas em lei e apresentar cópia dos documentos exigidos. Diante da dificuldade em definir "interesse público", foram estabelecidos critérios que, combinados, caracterizam e dão sentido a esse termo:

• **Critérios de finalidade:** sem finalidade lucrativa. A entidade deve desenvolver determinados tipos de atividade de interesse geral.

• **Adoção de um regime de funcionamento específico:** os estatutos devem conter preceitos da esfera pública que possibilitem a transparência e responsabilização pelos atos praticados.

Assim, os estatutos devem dizer de forma clara que a entidade:
• Respeita os princípios da legalidade, impessoalidade, moralidade, publicidade etc.
• Adota práticas de gestão administrativa que proíbem a obtenção de vantagens ou benefícios pessoais em decorrência da participação em processos decisórios.
• Tem conselho fiscal ou órgão equivalente.
• Transferirá seu patrimônio líquido para outra estrutura congênere em caso de dissolução.

Em relação aos objetivos sociais, as entidades devem conter ao menos uma das seguintes finalidades:
• Promoção da assistência social.
• Promoção gratuita da educação e saúde.
• Promoção da cultura e defesa do patrimônio histórico e artístico.
• Defesa, preservação e conservação do meio ambiente e promoção do desenvolvimento sustentável.
• Promoção do voluntariado.

- Assessoria jurídica gratuita e construção de novos direitos.
- Promoção da ética, paz, cidadania, dos direitos humanos, da democracia e de outros valores universais.
- Promoção do desenvolvimento econômico e social e combate à pobreza.
- Estudos, pesquisas, desenvolvimento de novas tecnologias, bem como produção e divulgação de informações e conhecimentos técnicos e científicos relacionados com as atividades supracitadas.

Segundo dados do Ministério da Justiça, 3.010 entidades alcançaram a qualificação de Oscip entre 1999 e agosto de 2005. Ainda assim, grande parte das organizações de terceiro setor reluta em adotar o novo regime, sobretudo temendo a perda de vantagens tributárias.

VANTAGENS TRIBUTÁRIAS E FISCAIS PARA AS ORGANIZAÇÕES DO TERCEIRO SETOR

Antes de mencionar as vantagens tributárias atualmente permitidas pelo regime jurídico brasileiro, é interessante esclarecer a diferença entre imunidade e isenção. Além disso, como grande parte das vantagens é concedida a instituições de educação ou de assistência social, é necessário entender como tais instituições são definidas pelo legislador.

A *imunidade* é estabelecida pela Constituição Federal (artigo 150, VI, c) e veda União, estados, Distrito Federal e municípios de instituir imposto sobre patrimônio, renda ou serviços de instituições de educação e de assistência social, sem fins lucrativos.

No caso da *isenção*, dispensa-se a entidade do pagamento do tributo devido à expressa disposição de lei, podendo ocorrer no âmbito da União, dos estados e dos municípios.

A lei define uma instituição de educação ou assistência social da seguinte maneira:

> é aquela desinteressada, de filantropia, que não representa meio de ganho para ninguém, mas nunca empresa particular lucrativa [...]. O artigo

14 do Código Tributário Nacional prevê o cumprimento simultâneo de três requisitos para o gozo da imunidade. O primeiro deles é a vedação à distribuição de parcela do patrimônio ou rendas da entidade, o qual visa impedir que pessoas de má-fé venham a criar entidades ditas educacionais ou assistenciais cujo real objetivo seja "assistir" aos próprios instituidores.[9]

Cabe observar que isso não significa que as organizações do terceiro setor estejam impedidas de remunerar os profissionais que nelas trabalham. A Lei das Oscips prevê a possibilidade de remuneração de dirigentes, e a Lei n.º 10.637/02 autorizou a remuneração de dirigentes, sem perda da isenção ou imunidade ao imposto de renda, desde que seja com vínculo empregatício e que o salário não seja superior ao limite fixado para os servidores federais.

O segundo requisito do Código Tributário Nacional é que os recursos sejam integralmente aplicados na atenção, assistência e desenvolvimento da população brasileira, e nas atividades estatutariamente fixadas pelos instituidores, ou seja, os recursos devem ser utilizados no território nacional. Finalmente, o último requisito determina que a entidade deverá manter adequada escrituração de suas receitas e despesas em livros que possibilitem confirmar a correção dos lançamentos neles efetuados.

Portanto, para manter o enquadramento legal de entidade sem fins lucrativos e usufruir a imunidade assegurada pela Constituição, a organização deve cumprir os requisitos do artigo 12 da Lei n.º 9.532/97.

FINANCIAMENTO DO TERCEIRO SETOR COM RECURSOS DO ORÇAMENTO PÚBLICO

Como já foi mencionado anteriormente, as organizações do terceiro setor são entidades privadas que prestam serviços de natureza pública. Portanto, o Estado prevê formas de apoio e financiamento de suas atividades nas seguintes modalidades:

ESPÉCIE	PRINCIPAIS CARACTERÍSTICAS
Auxílios	Derivam da Lei do Orçamento e se destinam a entidades de direito público ou privado sem finalidade lucrativa.
Contribuições	São concedidas em virtude de lei especial e se destinam a atender a ônus ou encargos assumidos pela União.
Subvenções	Destinam-se a cobrir despesas de custeio de entidades públicas ou privadas e podem ser: A) ECONÔMICAS: concedidas a empresas públicas ou privadas de caráter industrial, comercial, agrícola ou pastoril, mediante autorização expressa em lei especial. B) SOCIAIS: concedidas, independentemente de legislação especial, a instituições públicas ou privadas de caráter assistencial ou cultural sem finalidade lucrativa que visem à prestação de serviços essenciais de assistência social, médica e educacional. O valor da subvenção, sempre que possível, é calculado com base em unidade de serviço efetivamente prestado ou posto à disposição dos interessados.

Convênios, acordos ou ajustes	Meios jurídicos para execução de serviços de interesse recíproco dos órgãos e entidades da administração federal e de outras entidades públicas ou particulares, sempre em regime de cooperação. Portanto, há aporte de recursos de ambas as partes – não é exigido apenas recurso financeiro. O convênio autoriza a aquisição de equipamentos e matérias permanentes, mas sua destinação deve estar predeterminada.
Contratos	Pressupõem, de um lado, o interesse do poder público na aquisição de bem ou serviço e, de outro, o recebimento de uma importância em dinheiro. Devem respeitar as regras das licitações. No caso das organizações do terceiro setor, alguns entendem que é possível adotar uma das modalidades da licitação, a de convite, para evitar restrições ao destino dos recursos na entidade contratada.
Termo de parceria (para Oscip somente)	Criado para atender às entidades que desenvolvem projetos conjuntos com o Estado e sofriam com a burocracia e as restrições dos convênios no tocante à sua duração limitada, impossibilidade de contratação de mão-de-obra adicional e relatórios formalistas. Essa nova modalidade traz inovações: pode ter período superior ao exercício fiscal, estipula metas e resultados a ser atingidos, fixa critérios de avaliação, estabelece obrigatoriedade de auditoria independente para valores superiores a R$ 600 mil e elaboração de cronograma físico-financeiro, entre outras.
Contratos de gestão (para organizações sociais somente)	Embora chamados de contratos, aproximam-se dos convênios, já que prevêem a destinação de recursos para entidade sem fins lucrativos controlada pelo Estado sem que haja processo licitatório, além de pressupor cooperação mútua e interesse recíproco. Como as organizações sociais são originárias da transformação de fundações públicas, esta modalidade criada em 1998 é um meio de flexibilizar o fluxo de recursos dentro do Estado, não sendo acessível às organizações do terceiro setor.

Fonte: SZAZI, Eduardo. *Terceiro setor: regulação no Brasil*, pp. 102-10.

É importante ressaltar que **na hipótese de remuneração de dirigentes haverá perda da isenção ou imunidade** para IPI, Imposto de Importação, PIS, Cofins, Imposto de Transmissão *Causa Mortis* e Doações, IPVA, INSS do empregador, SAT, salário-educação e CPMF.

FINANCIAMENTO DO TERCEIRO SETOR COM RECURSOS PRIVADOS

FINANCIAMENTO DE PROJETOS SOCIAIS E EDUCACIONAIS

DOAÇÕES DE PESSOAS FÍSICAS

Desde 1996 é permitida a doação de pessoas físicas para entidades, mesmo as de utilidade pública, mas sem qualquer vantagem fiscal.

Há vantagens fiscais no caso de doações feitas ao Fundo dos Direitos da Criança e do Adolescente no limite de até 6% do valor do imposto de renda devido. De acordo com a Secretaria da Receita Federal, em 2002 o volume de doações no Brasil foi de cerca de R$ 3,6 milhões apenas. Outra possibilidade é a doação em favor de projetos culturais e investimentos realizados com incentivo às atividades audiovisuais.

DOAÇÕES DE PESSOAS JURÍDICAS

CONTRIBUIÇÕES EM FAVOR DE	TRATAMENTO DA DESPESA	DEDUÇÃO NO IMPOSTO DE RENDA DE PESSOA JURÍDICA
Instituições de ensino e pesquisa sem fins lucrativos, que destinem superávit à educação e, no caso de encerramento, destinem patrimônio à escola comunitária ou ao poder público. Essas instituições têm de ser criadas por lei federal: universidades, faculdades e escolas técnicas.	Dedutível até o limite de 1,5% do lucro operacional, sem computar despesas com a doação.	Não dedutível, pois já é abatido do IRPJ como "despesa".

Entidades civis, constituídas no Brasil, sem finalidade lucrativa, que prestem serviços gratuitos em benefício de empregados da pessoa jurídica doadora e seus dependentes, ou em benefício da comunidade de outrem.	Dedutível até o limite de 2% do lucro operacional, sem computar despesas com a doação.	Não dedutível.

As doações, quando feitas em dinheiro, deverão ser depositadas em conta corrente em nome da beneficiária. A organização do terceiro setor deverá entregar uma declaração à doadora comprometendo-se a aplicar integralmente os recursos recebidos na realização dos seus objetivos sociais, com identificação da pessoa física responsável pelo seu cumprimento, e a não distribuir lucros, bonificações ou vantagens a dirigentes, mantenedores ou associados. A doadora deverá manter esse documento arquivado.

Finalmente, as organizações deverão apresentar a declaração de Utilidade Pública Federal ou sua qualificação de Oscip. O título não precisará ser apresentado quando se tratar de entidade que presta exclusivamente serviços gratuitos em benefício de empregados da pessoa jurídica doadora ou da comunidade em que atue.

SORTEIOS

São uma das maneiras mais comuns de obter receitas, mas para que sejam realizados é necessária autorização federal, a fim de que não causem prejuízos ou danos à população ou à economia popular. O pedido só poderá ser feito se a entidade for de utilidade pública ou filantrópica e se os recursos forem utilizados na manutenção da obra social a que ela se dedica.

FINANCIAMENTO DE PROJETOS CULTURAIS E ARTÍSTICOS

BASE LEGAL	ESPÉCIE	DESPESA	DEDUÇÃO DO IRPJ
Art. 18 daLei nº 8.313/91	Patrocínio	Não dedutível	100% da despesa, limitada a 4% a 15% do Imposto de Renda.
	Doação	Não dedutível	100% da despesa, limitada a 4% a 15% do Imposto de Renda.

Art. 26 da Lei nº 8.313/91	Patrocínio	Dedutível	30% da despesa, limitada a 4% do IRPJ a 15%.
	Doação	Dedutível	40% da despesa, limitada a 4% do IRPJ a 15%.

Fonte: Delloite – Seminário "Investimento social privado: aspectos tributários", dez. 2003.

BASE LEGAL	CÁLCULO DO INCENTIVO	LIMITE DA DEDUÇÃO		DEDUTIBILIDADE COMO DESPESA	
		Isolada	Global	IRPJ	CSLL
Art. 26 da Lei Rouanet	Doações[*]: até 40%	4%	4%	Sim	Sim
	Patrocínios[**]: até 30%	4%	4%	Sim	Sim
Art. 18 da Lei Rouanet	Até 100% do somatório de doações e patrocínios	4%	4%	Não	Não

Fonte: Delloite – Seminário "Investimento social privado: aspectos tributários", dez. 2003.

[*] Patrocínio: tem caráter de retorno em propaganda.

[**] Doação: é vedada propaganda do doador.

■

PARTE **II**

GESTÃO DE ORGANIZAÇÕES E DE PROJETOS DO TERCEIRO SETOR

INTRODUÇÃO

A gestão de organizações do terceiro setor é um ponto estratégico para o seu bom funcionamento e para o cumprimento de sua missão e de seus objetivos. Tal como em uma empresa ou um governo, também as organizações do terceiro setor têm de ser muito bem geridas do ponto de vista de recursos humanos, financeiros e materiais para que sejam capazes de desenvolver seus projetos e programas, estabelecer parcerias e conseguir sustentabilidade.

Nesse processo estão envolvidos todos os órgãos, instâncias, setores e departamentos das organizações. Seus conselheiros, seus funcionários, seus apoiadores e parceiros têm o papel e a responsabilidade de tornar a organização uma instituição bem administrada. Sem isso, tarefas cotidianas, projetos, programas e parcerias poderão enfrentar problemas ou deixar de ser realizados.

A construção de projetos sociais deve ser clara para todos os agentes envolvidos nas seguintes etapas: elaboração, execução, monitoramento e avaliação. É preciso também que seja um processo participativo, que permita a contribuição de todas as partes, a fim de que o projeto leve em consideração um maior número de elementos e fatores da realidade. Só assim é possível realmente transformar a sociedade.

A análise da realidade social, econômica e política também é de primordial importância para as organizações. As forças atuantes em cada um desses campos devem ser identificadas, pois terão influência na implantação do projeto e na prestação de serviços das entidades do terceiro setor. Cabe observar que tais aspectos são mutáveis e dinâmicos, carecendo de observação e re-flexão contínuas.

Além da análise do contexto externo, é importante avaliar a estrutura interna, com o objetivo de verificar que fatores ou elementos influirão no trabalho a ser desempenhado, qual é o seu impacto dentro da organização e de que modo determinada ação poderá afetar os projetos e a estrutura da instituição.

PLANEJAMENTO: DEFINIÇÃO E TIPOS

Para gerir uma organização, um programa ou um projeto, basicamente é necessário planejamento, organização, direção e controle. A função do planejamento é uma das mais importantes, pois orienta e embasa as outras atividades cotidianas.

Em linhas gerais, *planejamento* é o processo de estabelecer antecipadamente a finalidade da organização, programa ou projeto, definir objetivos e prever as atividades e os recursos necessários para atingi-los.

PLANEJAMENTO ESTRATÉGICO (LONGO PRAZO)

A visão estratégica no mundo gerencial surgiu a partir da década de 1950, nos anos pós-guerra; portanto, incorporou conceitualmente aspectos relacionados com a visão clássica e bélica da estratégia militar. No mundo gerencial moderno, essa visão foi sendo modificada, sobretudo em razão da maior velocidade com que as mudanças sociais, econômicas e políticas ocorrem, alterando a possibilidade de alcance dos objetivos e resultados desejados. Daí a necessidade de desenvolver alternativas e ações potenciais que permitam o redirecionamento constante dos objetivos e dos caminhos da organização.

Analogamente falando, se a organização fosse um avião voando em determinada rota, e o comandante e a tripulação fossem gestores e membros da organização, haveria uma visão estratégica no momento em que toda a tripulação conseguisse viajar pela rota levando em consideração fatores externos (altitude, velocidade, possíveis obstáculos etc.) e internos (combustível, manutenção dos equipamentos, alimentos para a tripulação etc.), atuais e futuros da viagem, com o objetivo de conduzir o avião até seu destino final.

Por *estratégia* entende-se o conjunto de decisões fixadas em um plano que integra a missão, os objetivos e as seqüências de ações administrativas em um todo interligado, interdependente. O *planejamento estratégico*, portanto, é voltado para a visão ampla, global e de longo alcance da organização, baseada na análise do contexto existente. Sua finalidade é buscar alternativas de ação, devendo ser realizado de modo esporádico, a fim de prevenir crises e discutir novas perspectivas organizacionais. Dessa forma, o planejamento estratégico não deve ser utilizado somente no momento da criação da organização ou do projeto, como costuma ocorrer.

PLANEJAMENTO TÁTICO (MÉDIO PRAZO)

Diferentemente do planejamento estratégico, que demanda uma visão mais abrangente, o *planejamento tático* demanda uma visão mais específica do médio prazo, voltada para o interior da organização, para que sejam determinados os objetivos e estratégias para cada uma das atividades desenvolvidas pela organização. Como exemplo, podemos citar produção, marketing, comercialização, finanças, recursos humanos, material e patrimônio.

PLANEJAMENTO OPERACIONAL (CURTO PRAZO)

O *planejamento operacional*, por sua vez, é o detalhamento dos objetivos e estratégias do planejamento tático para cada área da organização, visando especificar os objetivos a ser cumpridos em curto prazo de tempo.

ANÁLISE DO CONTEXTO

A análise do contexto interno e externo das organizações é fundamental para o desenvolvimento de um planejamento correto para o programa, projeto ou organização. Essa análise trará as informações que contribuirão para um planejamento mais eficaz e eficiente, e terá como resultado último a obtenção de resultados melhores e mais duradouros – não só do ponto de vista dos beneficiários, mas também da organização.

As fontes que podem e devem contribuir para a análise do contexto são inúmeras: livros, dados, pesquisas, entrevistas, reuniões em grupo, reuniões com beneficiários e membros da comunidade etc. Instrumentos devem ser desenvolvidos para que a compreensão dessas fontes seja mais abrangente e a melhor possível.

A fim de facilitar essa tarefa, relacionamos algumas perguntas que têm por objetivo guiá-la e agilizá-la:

ANALISANDO O AMBIENTE INTERNO

PONTOS FRACOS

• Quais os pontos fracos da organização no que se refere a gestão, estrutura, recursos humanos, materiais, financeiros, de voluntários etc.?

• De que forma esses fatores podem prejudicar a eficácia da organização no exercício de suas atividades e no desenvolvimento de sua causa?

- Como esses fatores devem ser enfrentados? Que recursos são necessários para isso?
- Quais desses fatores podem ser solucionados sem a necessidade de apoio externo? E quais necessitam desse tipo de apoio?
- De que forma esses fatores podem ser resolvidos ou equacionados em curto, médio e longo prazo?

PONTOS FORTES

- Quais os pontos fortes da organização no que se refere a gestão, estrutura, recursos humanos, materiais, financeiros, de voluntários etc.?
- De que forma esses fatores podem melhorar a eficácia da organização no exercício de suas atividades e no desenvolvimento de sua causa?
- Quais desses fatores podem ser potencializados em benefício da imagem e da melhoria da qualidade do trabalho da organização?
- De que forma esses fatores podem ser potencializados em curto, médio e longo prazo?
- Que fatores podem representar oportunidades de crescimento para a organização?

ANALISANDO O AMBIENTE EXTERNO

AMEAÇAS

- Que fatores macroambientais de natureza social, econômica, cultural e política podem prejudicar a organização, a causa que defende e a ação que pretende desenvolver?
- Há dificuldades concretas para a ampliação de atendimento aos beneficiários, para a composição de forças no mercado social e para o aumento de públicos provedores e financiamentos?
- Quais são essas dificuldades? Podem ser enfrentadas ou a organização necessita adaptar-se a elas? Como devem ser solucionadas? Com que tipo de recursos?
- Como os beneficiários percebem a organização? Ela realiza pesquisas e sondagens (ainda que informais) para avaliar a percep-

ção e o nível de satisfação dos beneficiários e dos provedores e financiadores?

• Quais são os "concorrentes"? Eles têm mais parceiros? Contam com mais financiadores? São mais auto-suficientes?

• Quais as fontes de financiamento da organização? Tais fontes têm aumentado ou diminuído nos últimos anos? Qual o grau de dependência a essas fontes de financiamento (existe um grande financiador responsável pela maior parte do orçamento)?

OPORTUNIDADES

• Que fatores macroambientais de natureza social, cultural, econômica e política podem favorecer a organização, a causa que defende e a ação que pretende desenvolver?

• Há facilidades concretas para ampliação do atendimento aos beneficiários, para o crescimento do número de parceiros e para o aumento de provedores? Como esse crescimento pode ser potencializado?

• Existe alguma nova parceria em vista que pode representar aumento de visibilidade da organização no mercado social?

• Há alguma possibilidade concreta de aumento das fontes de financiamento? Quais são as melhores oportunidades?

DEFININDO A MISSÃO

Cada instituição, programa ou projeto deve definir sua missão, a qual deve ser clara e focada. A organização que conhece o rumo que deseja seguir trabalha melhor e não dissipa sua energia, pois torna-se capaz de priorizar parcerias, ações, recursos e estratégias, e consegue construir um planejamento melhor.

Como bem lembra Rosana Kisil[10], para definir uma missão há passos a seguir:

O PROBLEMA E A CONSTRUÇÃO DA VISÃO COMUM

A missão começa com a seleção de um problema que deve ser analisado e discutido dentro da organização, devendo participar desse processo todos os envolvidos, pois somente por meio desse trabalho compartilhado será possível definir os objetivos almejados por todos. A participação compartilhada também ajudará a fortalecer os compromissos individuais e coletivos dos membros da organização. Nesse processo, os membros da organização devem tentar confrontar as perspectivas operacionais com as estratégicas e filosóficas. Uma dica interessante é incluir o público-alvo na missão.

NECESSIDADES DECLARADAS E DOCUMENTADAS

Presumindo que uma necessidade é algo que precisa ser resolvido para solucionar um problema, essa "afirmação de necessidade" precisa conter dados que demonstrem sua veracidade, a natureza e a extensão do problema ao qual está ligada. É importante que a necessidade afirmada pela organização respeite os limites de alcance definidos pela missão. Também é preciso considerar a capacidade técnica e financeira da instituição.

ESCOLHA DO PÚBLICO-ALVO

Apesar de as organizações definirem um público-alvo na sua missão (por exemplo, crianças e adolescentes), é preciso compreender que a solução dos problemas relacionados com esse público-alvo tem natureza sistêmica, ou seja, não há somente uma solução para o problema que o atinge, mas um conjunto delas. Com esse entendimento a entidade será capaz de planejar e executar ações integradas com outros setores que ajudem a mudar a realidade.

Ao redigir uma declaração da missão, que está dividida em três partes, é necessário descrever:

- **Efeito pretendido** pelo trabalho (usar verbo para indicar ação).
- **Problema ou necessidade.**
- **Quem** será o beneficiado (as pessoas que sofrem o problema).

Ainda segundo Rosana Kisil, a declaração da missão tem dois erros bastante comuns:

- **Confundir processo de trabalho com missão**

Exemplo: "Providenciar serviço de creche para famílias de baixa renda" não é uma missão, mas um procedimento de trabalho, uma atividade destinada a ter um impacto maior, que pode ser aumentar as possibilidades de trabalho remunerado para mães necessitadas ou educar crianças cujas mães trabalham fora.

- **Confundir necessidades da entidade com necessidades da comunidade**

Exemplo: "Desenvolver uma estratégia de longo prazo para que a comunidade tenha educação e saúde" é uma necessidade da entidade para alcançar suas metas, e não uma missão de impacto social. Ninguém chega a resultado algum apenas desenvolvendo estratégias.

Ao definir a missão, a organização e seus membros (conselho diretor, equipe, coordenação etc.) devem responder às seguintes perguntas:

- Quem são as pessoas a quem se deseja ajudar?
- Que tipo de problemas sofrem?
- Que necessidades identificadas precisam ser atendidas?
- Que necessidades a entidade pode preencher?
- Ao final, que efeito se pretende obter sobre o público-alvo?
- Como essas idéias podem ser expressas numa frase?

INTERESSADOS
(*STAKEHOLDERS*)

O primeiro passo ao se desenhar um projeto e seu plano de gestão é identificar os interessados no projeto, ou seja, todos aqueles que sejam influenciados por ele e possam se envolver com a iniciativa. Os interessados podem ser positivos ou negativos. Um projeto de alfabetização municipal de crianças, baseado na parceria entre prefeitura e escolas com recursos de uma fundação internacional, terá como interessados a prefeitura, a escola, os estudantes, os pais, a fundação internacional etc.

É ideal que todos os membros da equipe do projeto – planejadores, gestores, executores, avaliadores, beneficiários, representantes comunitários, governo – reúnam-se para compor a lista de interessados por meio de uma "tempestade de idéias" (*brainstorm*). Após esse passo inicial, deve-se posicionar cada um dos interessados (negativos ou positivos) quanto à sua influência em relação ao projeto. Quanto mais influentes, mais próximos do centro do círculo devem estar.

MAPA DE POSICIONAMENTO DOS INTERESSADOS

Em uma terceira etapa, a equipe deve levantar os interesses de cada um dos *stakeholders* e suas expectativas, bem como as estratégias para influenciá-los de forma positiva.

■

GERENCIAMENTO DE RISCO

Os processos de identificação dos interessados e de seu posicionamento e o levantamento dos interesses e das estratégias necessárias para cada um deles são ferramentas importantes para que toda a equipe possa ter uma visão total do projeto – e, assim, gerenciar da forma mais planejada possível riscos ou falhas que estão ocorrendo ou poderiam ocorrer.

A análise de fatores internos e externos (veja Parte II, Capítulo 3) pode ser a etapa inicial e a primeira fonte de informações sobre riscos e ameaças a ser enfrentados pela organização ou no desenvolvimento de um programa ou projeto.

A construção da matriz lógica de resultados, ferramenta da gestão de projetos por resultados, também auxiliará o coordenador do projeto, a equipe e todos os envolvidos a identificar os riscos em diversos âmbitos e momentos, melhorando a possibilidade de alcançar resultados.

■

OBJETIVOS E ATIVIDADES

A formulação dos objetivos é tarefa fundamental na elaboração de um projeto, pois eles são a linha-mestra no momento do planejamento, da execução, do monitoramento e da avaliação. Assim, é preciso que os objetivos sejam claros, legítimos e bem elaborados. É também necessário que eles sejam compreendidos por todos os envolvidos.

> Por ocasião da formulação dos objetivos, em uma perspectiva de planejamento democrático, deverá haver uma preocupação com a participação dos responsáveis pela execução e dos que sofrerão os resultados da ação. Essa participação poderá ocorrer de diferentes maneiras e possuir diferentes níveis de influência [...]. A idéia é que, quanto mais aceitável for o objetivo e quanto mais participativa for a tomada de decisão, maior a probabilidade de êxito do planejamento decorrente, embora esta opção o torne mais moroso.[11]

CONCEITOS NO PODER PÚBLICO E NA COOPERAÇÃO INTERNACIONAL

Vejamos agora alguns conceitos adotados pelo poder público, por agências internacionais e multilaterais e por muitas fundações e institutos apoiadores das organizações do terceiro setor.

O **objetivo** é algo que se almeja e deve ser alcançado dentro do período de existência do programa, projeto ou ação.

O **objetivo geral** (também chamado de **meta**) é aquele que tem maior amplitude e demanda mais tempo para ser atingido, além de exigir a ação de diversos atores que contribuem para a resolução do mesmo problema. É alcançado com o somatório de ações.

O **objetivo específico** é um desdobramento da meta e expressa diretamente os resultados esperados pelo programa, projeto ou atividade. É o objetivo específico que orienta o projeto.

CONCEITOS NA INICIATIVA PRIVADA

Cada vez mais as empresas privadas têm se envolvido com o setor público e as ONGs e formado parcerias com essas organizações. Nesses casos, o entendimento dos conceitos é diferente:

Objetivos estratégicos são os propósitos específicos a ser atingidos ao longo de determinado período de tempo que, em conjunto, resultarão no cumprimento da missão da organização. São os alvos a ser alcançados. A definição dos objetivos é uma tarefa da qual devem participar todos os envolvidos no projeto ou na organização, de modo a levantar todas as expectativas e as priorize por meio do consenso.

Metas de desempenho são os resultados a ser atingidos em datas fatais estabelecidas. Indicam o que a organização deseja alcançar, sendo a estratégia o plano, a maneira de alcançar. As **metas** são a decomposição do objetivo em passos mensuráveis, são a métrica do objetivo.

O **plano de atividades** é um conjunto organizado e cronológico das atividades necessárias à concretização dos resultados, evidenciando a meta, o padrão de medição (indicadores), o prazo, os responsáveis e os recursos envolvidos.

ESTABELECENDO OBJETIVOS

• Estabeleça objetivos claros e específicos, indicando precisamente o que se quer atingir dentro de certo período de tempo e utilizando determinada quantidade de recursos. Um engano comum é concentrar os esforços no atendimento dos beneficiários em detrimento dos financiadores. Atender cada vez mais e melhor os beneficiários deve ser uma meta permanente, mas desenvolver medidas que atraiam ou promovam a fidelidade de financiadores é fundamental para o sucesso da organização.

• Por mais óbvio que pareça, é preciso definir objetivos adequados ao porte, à estrutura e aos recursos disponíveis na organização. Muitas organizações traçam metas e objetivos incompatíveis com a capacidade de realizá-los dentro de um prazo ou perspectiva de orçamento realista, gerando, entre outros problemas, dispersão de energia, de recursos, falta de motivação e perda de foco.

• Priorize objetivos fazendo uma avaliação honesta e decidida das reais necessidades estratégicas da organização. Nenhuma organização, por mais preparada que seja, consegue dedicar-se, com a devida concentração, ao cumprimento dos objetivos sem esse exercício.

• Estabeleça objetivos que possam ser medidos por meio dos indicadores, pois assim fica mais fácil melhorá-los.

• Selecione objetivos realistas e que despertem o interesse das pessoas e as mobilizem a trabalhar em conjunto de forma entusiasta.

• Para maiores informações, veja a Parte IV: Avaliação e gestão por resultados.

Ao planejarmos as atividades de um programa ou projeto é preciso definir as ações e os procedimentos necessários para alcançar os resultados e impactos previstos. As ações devem, portanto, estar programadas ao longo do tempo, criando-se para isso um **cronograma**.

Também devem ser relacionados todos os recursos físicos, financeiros e humanos necessários para a consecução de cada uma das atividades previstas no projeto ou programa. A listagem desses itens também será importante para que o **orçamento** seja realista e preciso.

PARTE **III**

GESTÃO ADMINISTRATIVA E FINANCEIRA DE ORGANIZAÇÕES E DE PROJETOS DO TERCEIRO SETOR

DEFINIÇÃO, PERFIL E ATRIBUIÇÕES DO GESTOR E FUNÇÕES DA GESTÃO

Antes de definirmos quem é o gestor é preciso entender o que significa gerenciar: planejar, organizar, dirigir as atividades e os recursos de uma organização de forma coordenada, visando ao alcance da missão e dos objetivos previamente estabelecidos.

A atividade gerencial não diz respeito somente à organização, mas também a projetos ou programas desenvolvidos pelas instituições. As atividades envolvidas na gestão devem ser realizadas no âmbito do projeto ou programa, que, como no caso das organizações, terá seus recursos financeiros, humanos e materiais geridos de modo que alcance os resultados pretendidos.

Funções gerenciais são as atividades realizadas por um gerente para manter a organização que gere ou o projeto que desenvolve. Elas envolvem os seguintes aspectos:

1 Planejamento: decidir ou escolher os objetivos organizacionais e estabelecer programas, políticas e estratégias para alcançá-los.

2 Organização: decidir que recursos e atividades são necessários para atender a objetivos organizacionais, criar grupos de trabalho e atribuir autoridade e responsabilidade para a sua consecução.

3 Preenchimento de vagas: selecionar, treinar e orientar os membros da equipe para que possam ser mais produtivos (em muitos casos essas tarefas são atribuídas ao departamento de recursos humanos das organizações, sobretudo nas ligadas a empresas ou dos institutos e fundações).

4 Direção: fazer que a equipe cumpra suas atribuições, comunicando-se, motivando-os, dirigindo-os para a consecução de metas.

5 Controle: estabelecer padrões, medir o desempenho planejado segundo critérios fixados e assegurar-se de que seja atingido.

O **gestor** é o principal responsável (mas não o único) pela facilitação e mediação da gestão (desenho, execução e avaliação) do projeto. Ele deve garantir que seus resultados sejam atingidos por meio de uma melhor gestão dos recursos.

O gestor, portanto, deve apresentar algumas características para que possa desempenhar apropriadamente o seu papel:

- Facilidade de comunicação.
- Liderança.
- Capacidade de analisar os contextos interno e externo, pensando o futuro de forma estratégica.
- Habilidade de viabilizar e estimular a equipe envolvida no projeto.
- Poder de negociação e de convencimento.
- Capacidade de tornar a gestão transparente.
- Senso de organização administrativa.

Ainda que as funções gerenciais sejam de responsabilidade do gestor, elas devem ser desenvolvidas por todos os membros da equipe, a fim de se obter maior eficiência e eficácia. Embora pareça extremamente óbvio, até hoje inúmeros e comuns são os casos em que o excesso de hierarquia, o centralismo, a burocratização e a falta de informação, entre outros fatores, acabam por impedir ou dificultar o trabalho em equipe.

O trabalho em equipe deve reunir esforços, talentos, experiências e visões, além de contribuir para um melhor ambiente de trabalho e maior motivação. Assim haverá maior confiança entre os membros, maior imaginação, estímulo à criatividade e busca de inovações; as informações fluirão mais facilmente e o sentimento de pertencer a um grupo acabará por reforçar o compromisso da equipe com o objetivo assumido.

FASES DE DESENVOLVIMENTO DE UM GRUPO	
Formação	Quando a própria identidade é a maior preocupação de cada membro
Confrontação	Quando a influência e o controle são as maiores preocupações de cada um
Normalização	Quando o relacionamento é a maior preocupação dos membros
Desempenho	Quando a eficácia é a maior preocupação do grupo

RECURSOS HUMANOS

MATRIZ DE ALOCAÇÃO DE RESPONSABILIDADE

Uma das maneiras mais eficazes de definir os recursos humanos em um projeto ou programa é construir a matriz de alocação de responsabilidades. Para tanto, é preciso ter claro qual será o trabalho desenvolvido, quais as atividades a ser executadas e o seu tempo de execução. A definição da equipe e de suas funções não deve ser rígida e inflexível, pois normalmente no decorrer do projeto ou programa são necessárias reformulações – tanto dos membros como das funções e atribuições de cada um.

Para construir a matriz de alocação de responsabilidades, é necessário relacionar todas as atividades previstas nas linhas horizontais (para isso, consulte o cronograma de atividades elaborado para o projeto) e, nas verticais, todas as pessoas envolvidas no projeto.

O cruzamento das atividades com os recursos humanos tem dois objetivos principais:

1 Verificar se os recursos humanos necessários à execução das atividades previstas no projeto foram totalmente alocados.

2 Averiguar se há uma sobrecarga de atividades para algum dos membros da equipe que possa representar risco ou dificuldade para seu bom funcionamento.

PESSOAS / ATIVIDADES				

RECRUTAMENTO, SELEÇÃO E INCLUSÃO

Uma vez definidas as necessidades de pessoal para compor a equipe, é preciso iniciar o processo de recrutamento: chamar candidatos com as qualidades requeridas para posterior seleção daqueles que preencham as necessidades do projeto. A estratégia de recrutamento varia bastante e sua definição dependerá da organização. Podem-se utilizar anúncios em jornal, internet, contatos pessoais, empresas especializadas etc.

O processo de seleção consiste na escolha, entre os candidatos recrutados, do que tenha o perfil mais adequado, devendo-se, para isso, comparar as características deste com as exigências. É aconselhável fazer entrevistas, pois trata-se de importante oportunidade para obter mais informações profissionais e pessoais acerca dos candidatos. Após a contratação do novo membro, este deve ser apresentado aos demais componentes da equipe e ser informado sobre os procedimentos internos, sobre os objetivos do programa e os da organização. Também precisa ficar claro a quem ele deverá se reportar para que se sinta incluído na organização.

A definição do valor dos salários é condicionada por diversos fatores: prioridades do projeto e sua disponibilidade de recursos, valores de mercado, porte da organização, entre outros. Portanto, a definição da remuneração e as diferenças salariais em um grupo de trabalho devem ser muito bem pensadas, utilizando-se para isso critérios claros e objetivos.

TRABALHO NÃO REMUNERADO

O trabalho não remunerado é exercido por **voluntários** e regulado pela Lei n.º 9.608/98, conhecida como Lei do Voluntariado. O trabalho voluntário não gera vínculo empregatício nem obrigação de natureza trabalhista, previdenciária etc. Para que seja considerado voluntário, é preciso que o trabalho preencha os seguintes requisitos:

• Ser voluntário (não pode ser imposto ou exigido como contrapartida de algum benefício prometido pela entidade).

• Ser gratuito.

• Ser prestado pelo indivíduo isoladamente (e não por organização da qual ele faça parte).

• Ser prestado a entidade governamental ou privada sem fins lucrativos e voltada para objetivos públicos.

O contrato a ser firmado é chamado de termo de adesão. Nele devem constar a identificação completa da organização e do voluntário, a natureza e as condições para o serviço, a carga horária, o local de trabalho, o material de apoio e afins. As despesas pagas pelos voluntários no exercício da sua atividade poderão ser ressarcidas pela organização, desde que haja autorização anterior desta.

O temor de que o serviço voluntário possa caracterizar vínculo empregatício e, portanto, justificar eventuais medidas judiciais é infundado. Isso porque dois dos requisitos que caracterizam o vínculo de emprego não existem no trabalho voluntário: subordinação hierárquica e dependência econômica. Outras dúvidas poderão ser esclarecidas nos centros de voluntariado existentes em todo o país.

TRABALHO REMUNERADO

As organizações do terceiro setor – apesar dos protestos de muitas delas – não têm nenhum tratamento privilegiado pelo fato de serem entidades sem fins lucrativos. Devem seguir estritamente as regras da Consolidação das Leis do Trabalho (CLT) e das Convenções Coletivas de Trabalho ao contratar funcionários.

CONTRATO DE EXPERIÊNCIA

É utilizado para verificar se o trabalhador se adapta à equipe e à entidade. Sua duração é de no máximo noventa dias, podendo ser prorrogado uma única vez. Nesse caso, a soma dos dois períodos não pode exceder aos três meses. Terminado o período e decidindo o empregador por encerrar o contrato, o trabalhador deverá receber saldo de salário, férias e décimo terceiro salário proporcionais. Nesse caso, não é necessário pagar o aviso prévio e a multa de 40% sobre o Fundo de Garantia por Tempo de Serviço (FGTS).

CONTRATO POR PRAZO INDETERMINADO

Vincula o empregador ao pagamento de férias, décimo terceiro salário, aviso prévio e multa de 40% sobre o FGTS. Caso o vínculo seja superior a um ano, a rescisão deverá ser homologada na Delegacia Regional do Trabalho ou entidade sindical representativa da categoria.

CONTRATO DE APRENDIZAGEM

Aplica-se a jovens de 14 a 18 anos que freqüentam ou concluíram o ensino fundamental e tenham inscrição num programa de aprendizagem. Tem vínculo de emprego e assegura o pagamento de salário mínimo/hora. Voltado para propiciar a formação técnico-profissional desses jovens.

TRABALHO A TEMPO PARCIAL

Nesse caso, o trabalho não pode exceder a 25 horas semanais e a remuneração deve ser proporcional à recebida pelo trabalho de 44 horas semanais. A cada período de doze meses o trabalhador tem direito a férias, sendo estas proporcionais à duração de sua jornada.

BANCO DE HORAS

Na definição de Franco *et al.*,

[...] previsto para trabalhadores submetidos ao regime normal de jornada, prevê a dispensa do acréscimo de salário se, em virtude de acordo ou convenção coletiva, o excesso de horas em um dia for compensado pela correspondente diminuição em outro dia, de maneira que não exceda, no período máximo de um ano, a soma das jornadas semanais de trabalho previstas, nem seja ultrapassado o limite máximo de 10 horas diárias. Esse regime poderá ser muitíssimo interessante para entidades que têm atividades sazonais ou que contam com piques de atendimento em determinados dias da semana ou do mês, podendo contribuir sensivelmente para a redução de custos ou contingências com horas extras.[12]

TRABALHO POR PRAZO DETERMINADO

A Lei n.º 9.601/98, regulamentada pelo Decreto nº 2.490/98, alterou o antigo regime, trazendo algumas vantagens ao contratante:

- O prazo foi ampliado para dois anos.
- O percentual de contribuição para o FGTS foi reduzido para 2%.
- O percentual da contribuição para o financiamento do seguro de acidente de trabalho e contribuições para Sesc, Senac, Incra e salário-educação foi reduzido em 50%.
- Agora existe a possibilidade de redução das indenizações por rescisão antecipada, prevista nos artigos 479 e 480 da CLT.

TRABALHADORES TEMPORÁRIOS

Poderão ser contratados nos casos de substituição de pessoal em férias, em licença médica ou licença-maternidade, ou para atender a um aumento temporário ou extraordinário de atividades. A contratação deve ser feita por meio de uma empresa de serviço temporário regularmente constituída e não pode se prolongar por mais de noventa dias.

ESTAGIÁRIOS

É permitido contratar estudantes universitários, de supletivo ou curso profissionalizante para o exercício de atividade em complementação ao ensino. Deverá ser firmado um termo de compromisso entre o estudante e a entidade, sendo a remuneração facultativa (por meio de bolsa-auxílio). Caso tal remuneração exista, não se cria vínculo empregatício.

TRABALHADOR AUTÔNOMO

Pode exercer atividades de caráter não exclusivo. Se o trabalho for de curta duração, a contratação pode ser informal, mas se a atividade for extensa ou repetitiva recomenda-se a elaboração de contrato escrito. Em qualquer um dos casos, a organização deve solicitar do trabalhador a emissão de um recibo de pagamento de autônomo (RPA) que comprove sua inscrição no INSS.

Cada vez mais as organizações no Brasil têm preferido contratar funcionários autônomos ou utilizar contratos de prestação de serviço de empresas abertas por eles como forma de evitar o pagamento de encargos trabalhistas, apesar de os serviços serem prestados de forma contínua, pessoal e com dependência econômica, o que caracteriza vínculo de emprego. Esta prática é claramente prejudicial ao contratado, pois além de perder as garantias da lei trabalhista o empregado ainda tem de arcar com o ônus da abertura e manutenção de uma empresa. A alteração dessa realidade só será possível diante de uma reforma na legislação trabalhista vigente em tramitação há anos no Congresso.

É aconselhável que as organizações tenham um advogado ou escritório que proponha a forma mais correta de regime de contratação, a fim de evitar problemas com órgãos trabalhistas e previdenciários.

A tão propagada e popular **responsabilidade social** inclui comportamentos éticos não apenas com as organizações e instituições externas apoiadoras, os financiadores, os fornecedores e os parceiros das organizações do terceiro setor. A ética e a responsabilidade social também dizem respeito às normas e ao relacionamento com os empregados e contratados dessas organizações.

AVALIAÇÃO DE DESEMPENHO

O processo de avaliação de desempenho dos membros da equipe e do grupo é fundamental, pois permite corrigir falhas, redesenhar atribuições e otimizar acertos.

Os antigos processos de avaliação por meio de um processo estruturado, em que se preenchiam formulários ou fichas, vêm dando lugar a um processo flexível, baseado em observações e relatos informais ou em apresentações formais da equipe de trabalho na busca de aperfeiçoamento.

Os indicadores de avaliação dos membros e da equipe devem estar relacionados com os objetivos e metas estabelecidos, sejam eles qualitativos ou quantitativos. Os critérios para adoção desses indicadores devem ser do conhecimento de todos, pois é preciso que esteja absolutamente claro o que se espera deles como uma equipe e de cada um em particular. Portanto, devem-se estabelecer os seguintes indicadores:

- Indicadores de desempenho global: para toda a organização.
- Indicadores de desempenho grupal: para a equipe.
- Indicadores de desempenho individual: para cada membro.

O que se almeja com a avaliação de desempenho é verificar o grau de compromisso individual e coletivo com a organização ou projeto, checar a adaptação da pessoa à função e ao grupo, estimular a superação de falhas ou dificuldades, descobrir talentos e aptidões e detectar necessidades de capacitação e de substituições.

DICAS SOBRE GESTÃO DE RECURSOS HUMANOS

- Elabore de modo claro e preciso o perfil de cada função pretendida, a fim de evitar o recrutamento de profissionais não adequados à função ou ao cargo disponível.
- Faça um roteiro prévio da entrevista: histórico profissional, capacidade do candidato, resistência a desempenhar outras fun-

ções, problemas enfrentados em trabalhos anteriores, se tem planos para o futuro etc.

• Identifique a organização e o entrevistador e dê oportunidade para que o candidato esclareça eventuais dúvidas.

• Utilize linguagem simples e aberta.

• Não induza a resposta e escute atentamente.

• Observe a comunicação não-verbal do entrevistado e faça perguntas sobre sua vida pessoal (*hobby*, planos, hábitos etc.) sem invadir sua privacidade.

• Anote os pontos mais importantes da entrevista.

• A entrevista poderá ter diversas etapas e ser realizada por uma ou várias pessoas (o que permitirá colher diferentes pontos de vista sobre os entrevistados).

• Ao encerrar o processo de seleção, envie carta ou mensagem a todos os participantes agradecendo-lhes por seu interesse. Isso demonstrará profissionalismo e respeito por parte da organização.

■

RECURSOS MATERIAIS

Recursos materiais são os objetos utilizados nas atividades da organização, do programa ou do projeto, ou seja, mesas, cadeiras, computadores, impressoras, material de papelaria etc.

A boa gestão dos recursos materiais objetiva controlar e organizar o uso e o abastecimento para que as atividades possam ser desenvolvidas. A gestão dos recursos materiais é o processo pelo qual são quantificados segundo sua previsão de necessidades de consumo, de estoque e de reposição, atentando-se para seu armazenamento e sua utilização para que não haja falta. A racionalização das compras e a verificação do estoque são importantes ao elaborar-se uma previsão orçamentária dos projetos e programas da organização.

Podemos dividir os recursos materiais da seguinte maneira:

- Materiais duráveis: móveis, utensílios e outros objetos cuja reposição é eventual.
- Materiais de consumo: produtos de limpeza, lâmpadas etc., cuja reposição é freqüente.
- Materiais didático-pedagógicos: utilizados em cursos, como apostilas, livros, canetas etc.

DICAS PARA GESTÃO DE RECURSOS MATERIAIS

- Para evitar falta dos materiais é aconselhável trabalhar com uma margem de segurança de 10%.

- As compras de material devem ser programadas com base nas atividades previstas e estar de acordo com o orçamento da organização, programa ou projeto.
- Pode-se estabelecer um nível mínimo de estoque como indicador da necessidade de nova aquisição.
- As compras devem ser feitas somente após cotação de preços com pelo menos três fornecedores.
- Se possível, estabeleça acordos com o melhor fornecedor para obter vantagens nos preços, nas condições de pagamento etc. (Por exemplo: proponha tornar-se cliente fiel em troca de melhores condições.)
- Preste atenção na gestão de recursos materiais para evitar problemas como perda de produtos (os que tenham validade, por exemplo), falta de local adequado para armazenamento ou espaço insuficiente.

RECURSOS FINANCEIROS: PLANEJAMENTO, ORÇAMENTO, CRONOGRAMA FÍSICO-FINANCEIRO E FLUXO DE CAIXA

As pessoas envolvidas no trabalho com o terceiro setor consideram que a gestão dos aspectos administrativos e financeiros da organização ou de um projeto seja a parte mais complicada e mais importante, esquecendo-se de que realizam tarefas de planejamento, orçamento, cronograma de atividades e cronograma físico-financeiro todo o tempo.

Vejamos a seguir exemplos simples de atividades que envolvem gestão de recursos financeiros:

• **Planejamento:** se dá quando no início do ano pensamos em atividades que queremos realizar, como curso de inglês, aula de natação, viagens etc.

• **Orçamento:** nessa etapa, calcula-se o dinheiro a ser gasto em cada uma dessas atividades.

• **Cronograma de atividades:** nessa fase, distribuímos as atividades ao longo do ano, ou seja, o curso de inglês inicia-se em março, a viagem será em novembro e as aulas de natação serão feitas três vezes por semana durante todo o ano.

- **Cronograma físico-financeiro:** aqui calculamos quanto temos de utilizar do salário e de outras fontes de renda para realizar as atividades que planejamos dentro de determinado tempo e freqüência.
- **Fluxo de caixa:** para que não precisemos utilizar o cheque especial ou estourar o limite da conta bancária, organizamos o pagamento de todas as despesas mensais, verificando as datas de entrada e saída de dinheiro (por exemplo, o cartão de crédito vence após o recebimento do salário etc.).

PLANEJAMENTO

Ao realizar o planejamento das atividades e ações, estamos antecipando os acontecimentos e levantando as dificuldades que enfrentaremos na execução de um programa ou projeto. Assim, para atingir os objetivos e metas pretendidos devemos pensar nas atividades e nos meios necessários à sua consecução.

É primordial que todos os membros da equipe envolvam-se na tarefa de planejar atividades e recursos, pois menor será o risco de deixar recursos de lado ou de não conseguir desenvolver as atividades previstas. A equipe (normalmente multidisciplinar) terá visões e experiências distintas que poderão ser aproveitadas no planejamento. Além do mais, trata-se de uma oportunidade para fortalecer o grupo.

ORÇAMENTO

Após a elaboração do plano de trabalho do projeto é preciso montar o orçamento, prevendo quais os recursos financeiros necessários para o seu desenvolvimento e onde serão aplicados em dado período de tempo. O orçamento, portanto, é um modo de representar as ações, as atividades do projeto em valores monetários durante um tempo determinado.

Em relação ao orçamento, é preciso lembrar que:
- Ele se refere a um período determinado de tempo e deve conter a previsão de todas as despesas durante a realização do projeto ou programa.

- As receitas (entradas) e as despesas (saídas) devem ser apresentadas da forma mais detalhada possível, a fim de permitir um bom planejamento do ponto de vista da execução e gestão do projeto.
- É necessário que haja equilíbrio no orçamento. O total previsto para as despesas deve ser igual ou inferior ao previsto para as receitas.

DESPESAS	AGÊNCIA A	AGÊNCIA B	CONTRAPARTIDA	TOTAL
Recursos humanos				
Recursos materiais				
Alimentação				
Transporte				
Total de despesas				
Doações				
Recursos próprios				
Total de despesas				

CRONOGRAMA FÍSICO-FINANCEIRO

É uma ferramenta útil para situar as ações no tempo, relacionar tempo e recursos, perceber quais ações acontecerão em paralelo e qual a interdependência entre elas. Deve ser lógico, de modo que mostre esta interdependência (por exemplo, a divulgação de um seminário pressupõe a definição dos critérios e do número de participantes). Tem como objetivo fornecer a previsão de gastos do projeto.

Um modo eficaz de montar o cronograma físico-financeiro de um projeto é verificar os custos (humanos, materiais e financeiros) de cada atividade, o tempo de sua duração, e distribuir o custo total ao longo do tempo de realização dessa atividade. Por exemplo:

- Atividade: Curso de Captação de Recursos.
- Tempo previsto: quatro cursos ao longo de um ano a cada três meses.
- Recursos humanos: dois treinadores.

- Recursos materiais: 20 apostilas, quatro caixas de caneta, retroprojetor, *flipchart*, cartolina e café, duas passagens aéreas e hospedagem.
- Recursos financeiros: dinheiro para pagamento de duas refeições diárias e transporte (táxi) para os treinadores.

No exemplo, deve-se orçar cada um dos recursos previstos para o curso e multiplicá-los por 4, que é o total de cursos previstos, chegando-se ao custo total de cursos do projeto.

ATIVIDADES	ANO							
	MÊS 1	MÊS 2	MÊS 3	MÊS 4	MÊS 5	MÊS 6	MÊS 7	MÊS 8
Treinadores								
Apostilas								
Caixa de canetas								
Retroprojetor								
Flipchart								
Cartolina								
Café								
Hospedagem								
Passagens								

DICAS PARA ELABORAÇÃO DE ORÇAMENTO

- As discussões sobre as prioridades orçamentárias devem ter a participação das demais partes interessadas e envolvidas, pois isso propicia sugestões para alocação, previsão de recursos, eventuais cortes ou remanejamentos etc.
- O envolvimento das partes interessadas também permite maior compromisso dos participantes com o projeto.
- É bastante comum as organizações darem como contrapartida recursos de outros projetos financiados por outras organizações, e não apenas os recursos próprios da organização. Se essa for a hipótese, evite que projetos ainda não aprovados ou recursos ainda não disponíveis sejam considerados como contrapartida,

pois, na eventualidade de haver modificações ou de não-aprovação, o novo projeto ficará comprometido financeiramente.

• Cada item orçamentário deve ser desmembrado de forma que permita um maior detalhamento. Assim, por exemplo, o item Recursos Humanos pode ter tópicos como "salários", "encargos" e "coordenação".

FLUXO DE CAIXA

O fluxo de caixa de um projeto é a representação da efetiva movimentação de dinheiro, das entradas e saídas que ocorrem durante a sua realização. Os recebimentos e os pagamentos de um projeto se dão em datas distintas, o que implica ter de ajustar a programação dos pagamentos e das compras às entradas de dinheiro no caixa.

O fluxo de caixa pode ser elaborado ao final de cada mês, tendo como ponto de partida o saldo real da conta e lançando-se os eventos de acordo com as datas de sua ocorrência. Pode também ser elaborado para todo o período de realização de um projeto ou programa.

Pode parecer complicado, mas na verdade realizamos essa tarefa diariamente ao mantermos atualizado o canhoto do talão de cheques de nossa conta bancária pessoal. Se além de registrar no canhoto elaborássemos um relatório com os lançamentos dos eventos (créditos e débitos), teríamos um fluxo de caixa.

DICAS PARA FAZER FLUXO DE CAIXA

• Se possível, abra uma conta para cada projeto, a fim de ter maior controle dos recursos. Uma conta única com recursos de diferentes origens (diversos financiadores, por exemplo) requer um controle mais complexo e detalhado de gastos e prestação de contas. Além disso, o mais comum é que os próprios financiadores exijam a abertura de conta exclusiva para os recursos que investirem no projeto.

• Para que o fluxo de caixa seja feito de maneira correta é preciso que haja controle sistemático das despesas e receitas do projeto ou programa, pois qualquer evento que não seja lançado no fluxo acarretará erro na informação sobre recursos disponíveis. Um membro da equipe deve ser designado para assegurar que o sistema de controle seja criado e respeitado por toda a organização e pela equipe participante do projeto.

• Para cada lançamento do evento (receita ou despesa) efetuado o gestor deverá manter o respectivo comprovante. Isso evitará problemas com a prestação de contas e permitirá, se necessário, a verificação das anotações do fluxo de caixa. A legislação brasileira determina que os comprovantes originais permaneçam com a organização. No caso de esses comprovantes precisarem ser enviados ao exterior por ordem do financiador, só poderão ser remetidas cópias.

• As despesas ou receitas lançadas devem ser descritas ou deve ser mencionado o item orçamentário a que se referem, pois muitas vezes os recursos aprovados pelos financiadores permitem o gasto somente para uma finalidade específica. Ou seja, se o item "passagens aéreas" tiver aprovado R$ 1.000,00, somente esse montante poderá ser gasto.

• Muitas vezes, por diversas razões, as organizações costumam "emprestar" recursos de um projeto ou programa para pagar despesas de outro (seja porque a remessa de dinheiro não foi enviada, seja porque os recursos não foram liberados pelo banco, seja por uma urgência). Essa prática deve ser evitada, mas se ela for extremamente necessária é fundamental que o dinheiro "emprestado" seja reposto e que esse procedimento esteja registrado e detalhado no fluxo de caixa de ambos os projetos.

• A comparação entre fluxo de caixa e orçamento do projeto tem por objetivos:

A Evitar que recursos sejam gastos a mais ou a menos em cada item orçamentário, respeitando-se os limites e montantes aprovados.

B Avaliar de que forma e com que intensidade os recursos disponíveis estão sendo despendidos, permitindo verificar se o cronograma físico-financeiro está sendo respeitado ou se uma reformulação do orçamento e do cronograma deve ser realizada.

- Há um programa chamado "Money" (Microsoft), bem como outros similares, que permite emitir inúmeros relatórios financeiros, e, apesar de ser desenvolvido para controle de despesas domésticas, pode ser usado por uma organização a fim de facilitar e agilizar a gestão financeira de seus projetos.

CAPTAÇÃO
DE RECURSOS[13]

A expressão "captação de recursos" virou moda nos últimos anos no Brasil, especialmente no universo das organizações do terceiro setor. A partir dos anos 1990 explodiram os cursos e consultorias dedicados a ensinar essas organizações a elaborar planos e projetos para obtenção de recursos para financiar progrmas ou trabalhos que desenvolvam.

Inicialmente, em muitas organizações, o trabalho de captação de recursos era realizado de forma voluntária, ou seja, apenas de acordo com o tempo disponível de seus fundadores. Entretanto, com o passar do tempo e o aumento da visibilidade das organizações de terceiro setor, houve um conseqüente aumento de trabalho, e muitas das instituições tiveram sua atuação limitada por falta de recursos físicos, humanos ou financeiros. A partir daí, a captação de recursos passou a ser maior e a ser considerada uma necessidade.

CONCEITOS

Vejamos a seguir alguns conceitos relacionados com a captação de recursos.

MOBILIZAÇÃO DE RECURSOS

Neste livro também será adotada a expressão "mobilização de recursos". Mobilizar recursos não é apenas assegurar recursos novos ou adicionais, mas também otimizar os recursos já existentes, aumentando a eficácia e eficiência dos planos, além de conquistar novas parcerias e obter fontes alternativas de recursos financeiros.

FAMÍLIA

É a denominação usada por alguns captadores para designar aqueles que têm forte vínculo com a organização. Em geral, as organizações estruturam campanhas ou estratégias específicas para esse público, com os objetivos de: captar recursos; transmitir uma mensagem por meio da "família" da organização, informando outras pessoas ou instituições da realização de campanhas; permitir que os coordenadores e responsáveis pela campanha de captação de recursos recebam informações sobre a necessidade desse processo.

REGRA 80/20

Segundo a experiência dos captadores de recursos, 80% do dinheiro que entra na instituição provém de 20% dos doadores. Ou seja, no topo da pirâmide de captação de recursos há um número menor de doadores, mas estes são responsáveis pelo maior volume de recursos doados.

É importante lembrar que o termo "recursos" refere-se não apenas aos recursos financeiros, mas também aos recursos materiais, humanos e aos serviços.

Segundo a Consulting Ogilvy One Worldwide[14], os doadores têm determinados perfis que podem determinar as estratégias de captação utilizadas:

• **Pró-ONGs:** contribuem espontaneamente com diversas organizações sem qualquer solicitação e normalmente são sócios contribuintes de mais de uma ONG.

• **Colaboradores:** pessoas que, além de contribuir, participam ativamente das ações e atividades das ONGs. São excelentes vendedores dos projetos e programas desenvolvidos pelas organizações e, ao contrário do perfil anterior, normalmente são sócios de uma única organização.

• **Sem fidelidade exclusiva (*free minded*):** têm o hábito de contribuir com uma organização, mas sentem-se livres para fazer o mesmo com outras entidades.

• **Eventuais:** pessoas que se mobilizam diante de grandes calamidades e doam a qualquer organização que canalize ajuda para esse fim. Normalmente não são sócios de nenhuma organização, mas têm grande potencial para colaborar.

• **Telemaratonianos:** parecidos com os eventuais, mas colaboram devido a um envolvimento emocional provocado por campanhas desencadeadas pelas redes de rádio e TV (Teleton e Criança Esperança, por exemplo).

A captação de recursos não traz apenas recursos. Ela é uma maneira de tornar ainda mais público o trabalho desenvolvido pela organização. Traz também algumas **vantagens:**

• **Ampliação da base social ou do número de pessoas envolvidas:** captar recursos promove a organização e aumenta o apoio da comunidade. Uma base de doadores costuma também gerar apoio político à organização, o que poderá ser útil numa futura campanha (por exemplo, coleta de assinaturas para despoluição do rio Tietê). Uma organização também estabelece relações com a sociedade por intermédio de várias pessoas (diretores, assessoria de imprensa, os que atuam diretamente em projetos etc.). A captação também pode ampliar este leque de relações individuais.

• **Aumento do número de voluntários:** à medida que os doadores passam a conhecer melhor a organização, seu grau de interesse pode aumentar, tornando-os, assim, voluntários.

• **Aumento da credibilidade:** quando uma organização recebe investimentos, significa que alguém de fora tem uma boa impressão de seu trabalho e está disposto a investir em seu sucesso. Isso pode melhorar a credibilidade da organização com pessoas ou instituições que têm potencial para fazer doações. Além disso, alguns críticos podem rever suas posições.

• **Alavancagem de projetos:** alguns investimentos proporcionam recursos para parte de um projeto, desde que se consiga captar o restante de outras fontes. O propósito desse tipo de financiamento é ajudar a organização a mobilizar mais recursos. Também ajuda muito a incentivar doações de pessoas físicas.

REGRAS BÁSICAS DA CAPTAÇÃO

O processo de captação e mobilização de recursos é complexo e demanda tempo e organização da instituição e de seus membros – tanto do corpo diretivo como da equipe gerencial e executora de projetos e programas. Por isso, há algumas regras básicas que devem ser observadas em todo o processo de captação por qualquer instituição. São elas:

A ORGANIZAÇÃO DEVE PEDIR

Toda organização que deseja captar recursos precisa identificar onde eles se encontram e adotar estratégias para consegui-los, sempre começando pelas fontes em que estão as maiores quantias e as mais fáceis de conseguir.

Os doadores doam recursos não apenas porque os têm disponíveis, mas também porque *estão ou são motivados a doar*, e a motivação surge quando eles têm *vínculo* com o trabalho da organização. A combinação de um vínculo e de um interesse ajuda a determinar até que ponto um doador ou doador em potencial está ou estará motivado a doar.

Aqueles que estão próximos da organização normalmente têm interesse em ajudar na captação, desde que a necessidade esteja clara e seja apresentada de forma convincente. Pedir que os *membros da "família"* da sua organização participem das campanhas de captação e realizem doações é um retorno imediato do apelo da campanha.

AS PESSOAS DESEJAM AJUDAR

Em qualquer lugar do mundo as pessoas reagem de maneira favorável quando deparam com uma necessidade humana urgente. Querem ajudar independentemente da realidade social e econômica de uma comunidade, região ou país. Basta verificar os noticiários para constatar que a população se mobiliza em caso de incêndios em favelas, secas, enchentes, terremotos ou maremotos.

Uma organização com habilidade na captação de recursos sabe facilitar o processo para que as pessoas ajam com base em um impulso de solidariedade. O desafio das entidades é canalizar essa necessidade quase instintiva de ajudar, convidando as pessoas a agir assim por meio das organizações das quais elas fazem parte.

PEÇA O QUE VOCÊ QUER

Um dos erros mais simples e graves cometidos por uma organização é ser modesta em seu pedido por achar que determinado valor ou recurso é razoável, parecendo subestimar a capacidade e a vontade do doador. Quando os programas das organizações precisam de apoio financeiro, é preciso que as pessoas compreendam o valor desses programas e a importância vital das doações. É fundamental desenvolver um levantamento ou estudo dos doadores existentes e potenciais, a fim de saber quanto é possível pedir de acordo com a possibilidade de cada um.

CONSIGA AS MELHORES PESSOAS

É importante pedir o apoio de alguém que seja do meio em que o recurso está sendo solicitado. Assim, se uma ONG quer o apoio de um empresário, terá maiores chances de sucesso se conhecer outro empresário que possa servir de intermediário. Da mesma forma, se uma ONG pretende obter recursos de uma fundação internacional, terá maiores chances se demonstrar que recebe apoio de outra organização internacional.

Por isso, é importante que as entidades do terceiro setor reflitam a respeito de duas questões: quem são as pessoas-chave a ser envolvidas no trabalho da entidade e que tipo de atividade poderia ser exercido com o objetivo de tornar o envolvimento dessas pessoas mais visível e útil.

CONSTRUA RELACIONAMENTOS

A probabilidade de uma pessoa que doa pela primeira vez doar outras vezes é muito maior do que a de um desconhecido fazê-lo pela primeira vez. Por isso, é importante que a entidade reconheça e agradeça aos seus doadores e crie oportunidades e meios para que eles compreendam e valorizem ainda mais o trabalho que a sua contribuição ajudou a tornar realidade.

ETAPAS DO PROCESSO DE CAPTAÇÃO DE RECURSOS

1. ANÁLISE (OU ESTUDO)

A captação deve começar com uma boa análise da organização: forças e fraquezas, oportunidades e ameaças, tanto no que diz respeito ao ambiente externo como ao interno (para mais informações, veja a Parte II, Capítulo 2). É a fase de estudos para que os envolvidos no processo conheçam muito bem o projeto e a organização.

2. PLANEJAMENTO

Um plano de captação precisa acertar detalhes referentes a quem realizará cada iniciativa, quando, onde e como. É preciso que os envolvidos se comprometam com os chamados "três cês": clareza, consenso e compromisso.

3. PESQUISA (OU PROSPECÇÃO E DIAGNÓSTICO)

É a pesquisa sobre os possíveis patrocinadores e parceiros, que deve ser feita respeitando três critérios básicos: a semelhança com a causa que a organização defende, a disponibilidade de recursos e os objetivos do patrocinador. Visite o *site* do patrocinador, conheça a linha de produtos e serviços, o número de funcionários e seu público-alvo.

Após a pesquisa, a equipe envolvida deverá elaborar uma lista dos possíveis patrocinadores ou parceiros, explicitando todas as informações sobre eles e qual o melhor momento e a melhor forma de abordá-los.

4. CONTATO E NEGOCIAÇÃO

O contato inicial varia, mas um bom caminho é buscar o departamento de *marketing* ou de responsabilidade social da empresa. Se alguém da organização conhecer o potencial patrocinador ou parceiro, sua presença poderá ajudar bastante nesse primeiro contato. Também em muitos casos as empresas pedem informações iniciais sobre a organização e seus projetos, e, para isso, é importante ter uma versão resumida da proposta do projeto (veja o Anexo: Roteiro para elaboração do documento do projeto).

O período de negociação também varia, pois depende de vários fatores: fechamento de orçamentos das empresas, burocracia interna, mudanças de diretoria, entre outros. No caso de recursos públicos, os editais informam as regras, mas também existem fundos disponíveis o ano todo. No caso de recursos internacionais, há linhas de projetos apoiadas pelas agências, mas também se podem buscar recursos menores (e com menor burocracia) nas representações diplomáticas (consulados e embaixadas).

Na hora de negociar, é fundamental mostrar segurança e conhecimento sobre a organização e o projeto. Também é necessário enfatizar, para o potencial patrocinador ou parceiro, os benefícios que seu investimento trará para sua empresa, bem como para a organização e seus beneficiários.

5. ACOMPANHAMENTO E VALORIZAÇÃO

O processo de captação não termina no momento da obtenção do recurso. É preciso desenvolver o interesse do patrocinador ou parceiro. A organização precisa fazer que as pessoas sintam que o seu envolvimento pode fazer diferença no trabalho de uma organização essencial para a sociedade.

Também é importante que a organização acompanhe o uso dos recursos e mantenha o patrocinador ou parceiro informado do andamento do projeto e dos resultados obtidos. A prestação de contas também deve estar absolutamente em dia.

DICAS PARA MOBILIZAÇÃO DE RECURSOS

• Como mobilizar recursos significa não apenas obtê-los, mas também gerenciá-los bem, reveja os capítulos referentes a gestão de recursos humanos, materiais e financeiros.

• Ao receber recursos de uma empresa, é importante que a organização responda a algumas questões e reflita sobre elas:

A Os produtos vendidos comprometem a missão da organização?

B Se a empresa for questionada pelo público, a organização estará disposta a defendê-la?

C A organização terá liberdade para trabalhar com os concorrentes da empresa?

D Até que ponto a organização terá controle sobre informações contidas em campanhas dirigidas ao público?

E A organização aceita fazer constar o logotipo e a marca da empresa em suas publicações? E este fato vai comprometer a clareza como é percebida?

F O orçamento vai cobrir todas as despesas reais da organização no desenvolvimento na atividade?

G A organização será capaz de explicar o porquê da escolha à população beneficiária da organização?

H O trabalho que a organização está propondo está de acordo com a missão da organização?

I O que a organização se recusaria a fazer?

J Por quais motivos, se houver, a organização recusaria dinheiro de uma empresa?

• A capacitação de recursos é uma atividade de médio a longo prazo; portanto, é preciso paciência.

• Seja otimista. Não é porque você seguiu todas as recomendações que só ouvirá "sim". Mesmo ao ouvir um "não" procure manter o potencial parceiro informado de suas atividades e conquistas;

assim, quem sabe, ele aceitará apoiar a organização em outra oportunidade.

• Muitas vezes o patrocinador quer participar da construção do projeto; portanto, é importante adotar uma postura flexível sem, contudo, deixar de respeitar os objetivos que o projeto pretende atingir.

■

MARKETING SOCIAL

Em um mundo globalizado em que os processos produtivos e os produtos estão cada vez mais homogêneos, é muito importante que as empresas tenham uma imagem diferenciada. Esta influenciará o mercado, já que os produtos são comprados mais em razão de apelos emocionais que de racionais.

O apoio a questões sociais tornou-se um fator fundamental na disputa e conquista de mercados e consumidores em todo o planeta, uma vez que os consumidores (que também são cidadãos) preferem comprar de empresas que exercem ações sociais. Porém, há no Brasil e no mundo milhares de organizações do terceiro setor trabalhando em uma mesma área, o que do ponto de vista do *marketing* as torna concorrentes entre si. As organizações do terceiro setor também precisam se distinguir umas das outras, mostrar seu diferencial diante de tantas outras instituições que trabalham pela mesma causa.

Embora o conceito de "*marketing* social" varie bastante, neste livro vamos utilizar a definição de Philip Kotter: trata-se da modalidade de ação mercadológica institucional que tem por objetivo atenuar ou eliminar problemas sociais e carências da sociedade em questões como saúde pública, trabalho, educação, habitação, transporte e nutrição.

Dito isso, é preciso esclarecer as diferenças entre o *marketing* social e o *marketing* de mercado ou empresarial:

MARKETING MATERIAL	*MARKETING* SOCIAL
Mercado material (de produtos ou bens para obtenção de lucro)	Mercado simbólico (de causas e idéias por apoio e recursos)
Atende a necessidades e desejos identificados no público-alvo	Tenta modificar atitudes e comportamentos dos mercados-alvo
Visa ao lucro	Visa ao benefício social
Trabalha com bens de consumo e serviços	Trabalha com idéias e causas
Atende aos interesses da empresa	Atende aos interesses da sociedade

PLANO DE *MARKETING* SOCIAL

A seguir são apresentadas as etapas para a construção do plano de *marketing* de uma organização.

1. ANÁLISE DO AMBIENTE

Assim como na captação de recursos, é necessário que a organização analise seus pontos fortes, suas oportunidades, suas fraquezas e suas ameaças, bem como os elementos da concorrência, isto é, saber o que faz, como se estrutura etc. Essa análise pode, inclusive, gerar parcerias para o desenvolvimento de projetos.

2. DESENVOLVIMENTO DO PRODUTO SOCIAL

Ajuda a dar mais concretude a algo intangível: o produto social.

• **Missão:** deve ser clara; ao lê-la, as pessoas entendem o que a organização faz.

• **Causa:** deve ser transformada em produto e marca.

• **Benefícios a oferecer e respostas a obter:** é preciso mostrar os benefícios gerados pelas ações da organização e quais os seus diferenciais.

3. ESTABELECIMENTO DE OBJETIVOS

Estes devem ser:

- **Claros:** mensuráveis e específicos.
- **Adequados:** ao porte e à estrutura da organização.
- **Realistas e desafiadores**
- **Priorizados:** é preciso verificar qual o objetivo mais importante para a organização em determinado momento.

4. DEFINIÇÃO DE ESTRATÉGIAS

Delimita-se de que modo a organização vai agir, que público quer alcançar, que instrumentos pretende utilizar. A definição de estratégia deve visar:

- **As ações.**
- **Os programas.**
- **A campanha.**

5. DEFINIÇÃO DE ESTRATÉGIAS DE COMUNICAÇÃO

Define-se como e com quem a organização se comunicará e que ferramentas ou meios utilizará para isso.

- **Canais e ferramentas:** que canais de comunicação serão utilizados e que ferramentas serão empregadas pela instituição.
- **Segmentação:** com que segmentos ou públicos a instituição deseja e necessita comunicar-se.
- **Mensagem afirmativa:** a proposta deve ser clara (dizer o que necessita), evitar denúncia (se falar de problemas, sempre apresentar soluções) e não ser piegas (a chantagem emocional gera apenas contribuições esporádicas).
- **Identidade gráfico-visual:** crie uma marca e um conceito gráfico de modo que as pessoas e o seu público identifiquem imediatamente sua organização (por exemplo, laços AIDS/HIV e câncer de mama). Seu material de *marketing* deve ter sempre a mesma linguagem, a mesma "cara".
- **Serviços:** especifique quem são os beneficiários da sua instituição.
- **Transparência:** preste contas ao seu público, aos beneficiários e aos financiadores utilizando diferentes meios e lingua-

gens, pois isso ajuda na construção da credibilidade e da marca da organização.

• **Cronograma e orçamento:** crie uma versão simplificada do cronograma e do orçamento do projeto ou da organização para apresentar aos diferentes públicos.

6. MONITORAMENTO E AVALIAÇÃO

É necessário estabelecer que estratégias a organização vai adotar para verificar se os resultados esperados são alcançados e se o público está satisfeito com a ação prestada por ela.

• **Resultados reais x resultados esperados:** compare os resultados obtidos e os esperados nas suas ações de *marketing*, buscando aprimorar a sua eficiência.

• **Diagnóstico de causas de problemas de percurso e ações corretivas:** levante os problemas e busque as soluções para resolvê-los.

• **Pesquisa de satisfação e de resultado:** retome o contato com os seus diferentes públicos para avaliar, ainda que de modo informal, seu grau de satisfação, pois eles também podem fornecer dados para melhorar essa área da organização.

PARTE **IV**

AVALIAÇÃO E GESTÃO POR RESULTADOS

INTRODUÇÃO

Ao observarmos os inúmeros projetos, programas e iniciativas desenvolvidos por governos, organismos ou organizações internacionais e do terceiro setor, verificamos que há preocupação, ao menos teórica, com transparência, participação democrática, descentralização, utilização dos recursos humanos, materiais e financeiros existentes na comunidade em que a ação se desenvolve, e criação de ações sustentáveis do ponto de vista socioambiental. Para que consigam alcançar esses princípios e diretrizes, as instituições públicas ou privadas envolvidas acabam por criar, desenhar e desenvolver diferentes formas de gestão.

Não há modelo ou receita do melhor ou mais eficiente sistema de gestão a ser aplicado nos programas, projetos e atividades desenvolvidos pelos diferentes agentes sociais. Independentemente do modelo a ser construído e aplicado, é fundamental que os princípios mencionados estejam presentes se se busca um mundo sustentável – e essa é, em termos gerais, a missão de inúmeras organizações multilaterais, internacionais e do terceiro setor.

■

AVALIAÇÃO E MONITORAMENTO DE PROJETOS E PROGRAMAS DO TERCEIRO SETOR

Normalmente, ao desenhar e planejar um projeto, as organizações deixam a avaliação para o final. Outras vezes, ainda que realizem avaliações continuadas – ou, como preferem alguns, o monitoramento –, o fazem sem planejamento e sistematização, quase de maneira empírica e amadora.

Nessas situações, os interessados e envolvidos no projeto ou programa perdem inúmeras e ricas oportunidades de readequar e redefinir o projeto, o que sem dúvida alguma poderá trazer reflexos negativos na consecução dos objetivos e resultados inicialmente propostos. Além disso, inúmeros dados e informações deixam de ser produzidos, coletados, analisados e considerados, o que reduz a compreensão e análise do projeto, além de se perder a oportunidade de utilizá-los na melhoria de outras iniciativas, de projetos futuros.

A definição de indicadores qualitativos e quantitativos é fundamental para que se realize um processo de avaliação e monitoramento de um projeto ou programa. É por meio dos indicadores que se verifica se os objetivos, a meta e os impactos estão sendo alcançados.

O monitoramento e a avaliação devem ser realizados em curto, médio e longo prazo. Os instrumentos, as ferramentas e os meios utilizados para o processo de monitoramento devem, portanto, considerar esses diferentes períodos de tempo. A avaliação e o monitoramento também podem ocorrer para o projeto como um todo ou para cada atividade realizada.

CONCEITOS E TIPOS DE AVALIAÇÃO

AVALIAÇÃO
A avaliação é um processo que delineia, obtém e fornece informações úteis para definir alternativas a ser tomadas em relação a determinado objeto. É um valioso instrumento para ajudar a organização a perseguir sua missão, ou seja, um de seus grandes benefícios é a aprendizagem organizacional. É um processo (não um evento): uma ação contínua e integrada às atividades do dia-a-dia da organização. Portanto, trata-se de um processo de desenvolvimento, e não apenas da elaboração de relatórios.

MARCO ZERO ⟶ PROCESSO ⟶ RESULTADO

INTERESSADOS São todos aqueles que têm algum tipo de interesse ou expectativa no projeto. Eles também podem ser conhecidos como "clientes" internos ou externos, "parceiros", "audiências" e outros. Exemplo: equipe técnica, funcionários, responsáveis pelo projeto, financiadores, líderes comunitários, beneficiários diretos e indiretos (família dos beneficiários), lideranças (prefeitos, diretores de escola etc.) e instituições (OAB, associação comercial, sindicatos etc.).[15]

MARCO ZERO Análise da realidade feita pelos diferentes atores envolvidos no início do projeto. Serve para que se obtenham dados iniciais para compará-los ao final do projeto e verificar se houve mudanças na realidade que se pretendia atingir.

Vejamos a seguir a definição de alguns tipos de avaliação.

TIPOS DE AVALIAÇÃO	DEFINIÇÃO
	É utilizada em programas em estágio inicial de operação, pois ajuda a verificar se o projeto está se desenvolvendo da forma desejada. As seguintes perguntas devem ser respondidas: • O programa está atingindo seu público-alvo? Em que medida o perfil e as características dos atuais participantes se assemelham aos antecipados durante o desenho do projeto? • As atividades estão sendo desenvolvidas da maneira planejada? • Quanto a duração, freqüência, conteúdo, as atividades realizadas correspondem em que medida ao que havia sido inicialmente desenhado no projeto? • Quais as características fundamentais dos participantes do projeto? Elas correspondem às características levantadas quando do desenho do projeto?
Avaliação de processo	Normalmente, projetos e programas modificam suas atividades em resposta a mudanças no público-alvo, nos executores ou no ambiente. É importante realizar uma avaliação periódica para identificar as variações no plano inicial e indagar se são desejáveis ou não, dando ao projeto a chance de auferir se as mudanças ocorridas são compatíveis com seu *rationale* (princípios éticos, sociais e morais e concepções). Assim, deve-se responder às seguintes perguntas: • Por que foi necessário ao projeto realizar mudanças no seu plano original? • As mudanças foram realizadas para tornar o projeto e suas atividades mais eficientes e mais eficazes? • Como os envolvidos no projeto reagiram e que mudanças programáticas foram realizadas para responder a essas reações? • Quais as conseqüências negativas (caso haja) dessas mudanças para os envolvidos no projeto (inclusive a equipe)? Que aspectos esperados ou desejados do projeto original foram abandonados?
	A coleta e o processamento de informações são essenciais para interpretar uma avaliação de resultados. Se um projeto ou público-alvo difere do original, é importante documentar essas mudanças e avaliar o programa levando em conta os resultados e as atividades realizadas – caso contrário, pode-se cometer o erro de atribuir a falta de resultados do projeto a uma falha do seu *rationale*, e não à sua implementação.

Avaliação de resultados (veja também o Capítulo Definição e mensuração de resultados)	Normalmente é realizada nas fases intermediária e final dos projetos para que se possam analisar os benefícios gerados aos participantes durante e após a implementação. Requer indicadores bem definidos, tanto os quantitativos como os qualitativos. Pode servir para: • Reunir informações relacionadas com os resultados esperados e as mudanças nos participantes para determinar se elas realmente ocorreram. • Testar a eficiência de um novo programa em relação aos resultados obtidos por programas já existentes.
Avaliação de impacto	O efeito final ou impacto de um projeto pode ser examinado após o período de implementação de suas ações. Essa avaliação é muito importante e normalmente é feita por avaliadores externos ao projeto.

PASSOS DE AVALIAÇÃO

Para que os três momentos da avaliação (marco zero, processo e resultado) se concretizem, é preciso percorrer o seguinte caminho:

DECISÃO SOBRE O FOCO DA AVALIAÇÃO É preciso pensar no conjunto de fatores que compõem o processo e tomar decisões, fazendo escolhas com base em análise profunda das necessidades que levaram ao ato de avaliar o projeto, a fim de que os envolvidos decidam sobre o tipo de avaliação a ser feita, o público-alvo, seus objetivos, os responsáveis por sua execução etc.

FORMAÇÃO DA EQUIPE Definem-se as pessoas que vão assumir o processo de avaliação diante de todos os envolvidos no projeto.

IDENTIFICAÇÃO DOS INTERESSADOS, PERGUNTAS E INDICADORES Definidos os interessados, deverão ser formuladas as perguntas orientadoras da avaliação. Tais perguntas serão elaboradas pela equipe de avaliação e pelos interessados. Com base nessas perguntas serão então definidos os indicadores.

LEVANTAMENTO DE INFORMAÇÕES A equipe e até os especialistas externos devem definir os métodos e os instrumentos de coleta das informações que vão responder às perguntas orientadoras da avaliação. É importante que a organização considere o custo de todo o processo de coleta de informações no orçamento e no planejamento do projeto, pois definir os processos, elaborar e executar os instrumentais e a análise e tabulação das informações consome tempo e dinheiro.

ANÁLISE DE FATOS E INFORMAÇÕES Após a coleta de informações, os dados levantados e os fatos observados devem ser sistematizados e analisados.

RELATÓRIO E DIVULGAÇÃO Após a análise, a equipe deve apresentar suas conclusões e possíveis recomendações. Os relatórios devem ser claros, objetivos, ter a linguagem e o formato adequados a cada perfil de interessado e ser contemporâneos às necessidades de tomada de decisão do projeto.

UTILIZAÇÃO E DISSEMINAÇÃO A equipe de avaliação, juntamente com os coordenadores do projeto e os responsáveis pela organização executora, deve definir como utilizar e divulgar os resultados obtidos.

PERGUNTAS ORIENTADORAS DA AVALIAÇÃO

A avaliação não deve se tornar um processo encerrado em si mesmo. Ao ser desenvolvida e concluída, precisa ser útil ao projeto, e para isso é necessário escolher o foco da avaliação, ou seja, escolher o ângulo do qual se quer olhar o projeto em relação ao momento cronológico, os motivos que objetivaram o processo, o papel do avaliador, os responsáveis executivos. A qualidade do produto final da avaliação é determinada pelas escolhas feitas logo no início do processo – o que não significa que esse foco não possa ser alterado ao longo do projeto, desde que sempre fundamentado.

A seguir, apresentamos as perguntas[16] que devem orientar a avaliação:

1 Por que iniciar um processo de avaliação?

2 Quem vai usar as informações resultantes da avaliação?
Para quem se está fazendo e a quem interessa a avaliação?

3 Você está interessado em avaliar o processo, os resultados ou ambos?
Seja específico, definindo se o caráter da avaliação é interno, relativo ao andamento da equipe e a procedimentos, ou externo, relativo aos resultados.

4 Como as conclusões serão utilizadas?
O que de novo se poderá descobrir com a avaliação e o que poderá ser feito com as informações resultantes que você não pode fazer agora?

5 Qual o papel dos envolvidos? De quanto tempo essas pessoas dispõem para dedicar ao processo de avaliação?
Existe intenção de que o processo avaliativo traga algum efeito sobre o conselho, a diretoria, gerência, agência financiadora ou a comunidade?

6 Existem recursos para a avaliação?
A organização tem pessoas com habilidades de avaliação? Os recursos necessários para executá-la foram previstos no orçamento original ou podem ser levantados?

7 Como será o cronograma de avaliação?
Quando precisa começar, quanto tempo durará, quando o relatório final deverá ser entregue?

8 Será necessário um avaliador externo?
Esse avaliador tem experiência no tipo de trabalho que o programa ou organização vem realizando? Pode trazer informações úteis? Conhece estratégias de abordagem e métodos de avaliação?

9 O que você deseja incluir no relatório final?
Quer que sejam detalhados os princípios, a estratégia e a metodologia utilizada pelos avaliadores? Quer apenas conclusões e recomendações? Como será disseminado o resultado?

ORIENTAÇÕES PARA FORMAÇÃO
DA EQUIPE DE AVALIAÇÃO

Como já dissemos, os projetos dependem não apenas de recursos materiais e financeiros disponíveis. As pessoas que o implementam são peça fundamental em cada uma de suas fases, e o sucesso do projeto ou de uma organização depende de como as pessoas da equipe se relacionam com o público-alvo e os parceiros e interessados.

A equipe tem um papel importante e estratégico também na fase de monitoramento e avaliação. A equipe de avaliação não deve ser muito grande, compondo-se de pessoas em posições-chave ou que possam assegurar o acesso aos recursos necessários às atividades a ser realizadas.

O objetivo principal dessa equipe é gerar as informações que servirão para orientar as decisões estratégicas do projeto. Assim, as pessoas que dela participam precisam ter excelente conhecimento da evolução, dos propósitos, da estrutura organizacional e das expectativas de resultados do projeto em curto, médio e longo prazo.

DICAS PARA AVALIAÇÃO

- O projeto não deve assumir uma atitude passiva diante da solicitação de avaliação feita pelo financiador. É preciso ter claros o motivo pelo qual deve fazê-la e as expectativas quanto ao resultado.

- Não confundir avaliação com auditoria financeira, ou seja, escolher análise de dados contábeis e ignorar dados qualitativos sociais.
- Não se deve temer a avaliação do processo por achar que não há capacidade ou tempo para realizá-la.
- Não se pode perder de vista a necessidade de realizar uma avaliação útil e acessível a todos os que, de alguma maneira, demonstrem interesse por ela.
- Os envolvidos na avaliação devem conhecer e compreender bem a evolução, os propósitos, a estrutura organizacional e as expectativas de resultados do projeto em curto, médio e longo prazo.
- A equipe do projeto deve ser mantida informada do processo de avaliação desde o início.
- Deve haver forte interação entre a equipe de avaliação e a coordenação do projeto.
- Os objetivos da avaliação devem ser compartilhados por todos os membros da equipe para evitar frustrações ou desmotivação.

EXEMPLO

PROJETO DE CAPACITAÇÃO EM TÉCNICAS DE APRENDIZADO DE ADULTOS – OFICINAS E CURSOS MINISTRADOS O projeto tem como objetivo geral capacitar e treinar representantes de organizações em técnicas de ensino de adultos. Para tanto, realiza oficinas de treinamento e permite que os participantes ministrem cursos e palestras utilizando as técnicas aprendidas. As oficinas podem ser avaliadas ao final mediante questionários, depois de alguns meses por meio de questões de múltipla escolha e após um ano com entrevistas com alguns participantes. As pessoas treinadas para ministrar cursos e palestras devem elaborar uma folha de avaliação para verificar o grau de satisfação dos participantes e para que estes possam manifestar sua opinião sobre utilização e incorporação das técnicas aprendidas nas oficinas de treinamento do projeto, por exemplo.

O QUE É A GESTÃO POR RESULTADOS

De acordo com a teoria básica que fundamenta muitos sistemas de gestão organizacional, os dirigentes formulam planos, colocam-nos em prática e então avaliam as conseqüências das ações para, ao final, usar as informações obtidas para fazer eventuais ajustes.

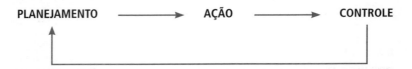

O que acontece na prática, em muitas organizações, é que os dirigentes fazem o que sempre fizeram, seja por tradição, seja por hábito, e acabam seguindo prioridades individuais. O plano então é apenas registrar ações já executadas.

O pior momento do ciclo de gestão acontece quando as ações dos dirigentes estão praticamente desconectadas do planejamento. Os controles são relacionados com o planejamento e discutidos, mas ficam distanciados das ações que acontecem na prática da organização. Há a idéia de que o planejamento e o controle são um mal necessário.

Essa prática de agir sem que haja planejamento ou controle faz que os dirigentes e as organizações tenham apenas uma suposição sobre sua **eficiência** (comparação dos resultados alcançados com recursos utilizados) e **eficácia** (alcance das metas e objetivos determinados e a correta determinação destes objetivos).

A **gestão por resultados (GPR)** é uma ferramenta que alia planejamento, ação e controle, promovendo a eficácia e a eficiência organizacional. Além disso, permite a demonstração dos resultados do projeto ou programa. Há inúmeras razões para que os resultados e metas sejam definidos e depois demonstrados:
• Pela credibilidade e responsabilidade perante a comunidade, as fontes financiadoras, os contribuintes e todos os demais agentes envolvidos.
• Pelo compromisso com a eqüidade e com as mudanças sociais.
• Pela motivação ou satisfação pessoal.
• Pelo impacto causado na vida das pessoas.
• Pelo aprendizado contínuo proporcionado.
• Pela sobrevivência das organizações.
• Para fornecer informações necessárias ao processo decisório.
• Para permitir melhor avaliação e novo encaminhamento das ações inicialmente previstas no projeto ou programa.

A gestão por resultados é uma metodologia que vem sendo utilizada por diversas entidades financiadoras bilaterais e multilaterais em todo o mundo. A Comissão Européia, com base nessas diversas experiências e levando em conta a discussão entre os membros do Comitê de Ajuda ao Desenvolvimento da OCDE, adotou um instrumento denominado "Linhas Diretrizes de Gestão do Ciclo do Projeto", que deve servir de guia para todos os responsáveis pela concepção e execução dos projetos.

A gestão por resultados também foi adotada e vem sendo desenvolvida e implementada pela Agência Canadense para o Desenvolvimento Internacional (Cida) em todas as suas divisões, projetos e programas como resposta às recomendações formuladas pelo Auditor-Geral do Canadá em 1994, sendo implantada na reforma do setor público canadense com a finalidade de melhorar a definição de responsabilidades, a prestação de contas e a demonstração de resultados.

No âmbito do projeto bilateral Brasil–Canadá de capacitação no setor voluntário foi possível utilizar essa ferramenta no desenvolvimento e na avaliação das atividades do projeto. Tal ferramenta mostrou-se útil por ser um instrumento simples e de fácil uso. Muitos dos novos desenhos e redirecionamentos ocorridos no projeto e nas atividades foram efetuados após um rico e exaustivo processo de avaliação por parte dos representantes das organizações brasileiras e canadense, das coordenações canadense e brasileira e dos membros do Comitê Consultivo Internacional.

Assim, a gestão por resultados é uma abordagem de gestão participativa baseada em um trabalho desenvolvido pela equipe do projeto ou programa. Enfatiza os resultados do desenvolvimento em planejamento, da aprendizagem e da preparação dos relatórios oficiais. A adoção de gestão participativa permite melhoria da qualidade, eficácia e sustentabilidade das ações de desenvolvimento, e na GPR tais ações devem refletir as necessidades, prioridades e visões dos interessados (*stakeholders*) envolvidos no projeto ou programa.

PRINCÍPIOS

A GPR tem alguns princípios que norteiam a sua utilização e aplicabilidade:

- **Simplicidade:** é de fácil utilização.
- **Aprendizado com a prática:** os projetos e programas são implementados de forma interativa, flexível e permitindo ajustes durante o processo.
- **Aplicação ampla:** a GPR pode e deve ser utilizada em qualquer projeto ou programa desenvolvido.
- **Transparência:** permite compartilhar melhor as informações e a elaboração de relatórios sobre os resultados.
- **Parceria:** propicia a colaboração mútua entre todos os interessados, que acabam chegando a um entendimento comum.

PRESSUPOSTOS

A GPR somente se tornará uma ferramenta diferente das abordagens tradicionais se:
- Os resultados esperados forem definidos e aceitos mutuamente.
- Houver uma abordagem participativa para garantir a adesão, o comprometimento e um entendimento comum sobre o projeto ou programa.
- Houver possibilidade de interação e flexibilidade para ajustar as estratégias no decorrer do processo, a fim de garantir a consecução de resultados de desenvolvimento.

CONCEITOS-CHAVE

O objetivo de um projeto ou programa é o que se pretende alcançar dentro do período de sua existência; portanto, deve estar com ele diretamente relacionado. Para definir com clareza quais os resultados almejados é preciso saber exatamente o que se pretende alcançar. Além disso, todos os envolvidos no projeto ou programa devem partilhar da mesma visão.

A seguir, veremos definições e conceitos-chave presentes na metodologia de gestão por resultados. Eles podem diferir da compreensão comum utilizada nas empresas (veja Parte III, Capítulo 6).

• **Meta:** é um objetivo mais amplo do programa ou projeto geralmente alcançado em um prazo longo.

• **Objetivo:** é aquilo que se almeja. Deve ser alcançado dentro do período de existência do projeto e estar relacionado diretamente com ele, tendo como resultados os efeitos gerados pelo projeto ou programa. Exemplos: fortalecer instituições e mecanismos que promovam o avanço das mulheres ou melhorar a qualidade e o acesso aos serviços básicos de saúde.

• **Resultados:** são as modificações que se podem descrever ou medir, derivadas de uma causa ou efeito. Procuram verificar a transformação que ocorre no trabalho desenvolvido no âmbito do projeto ou programa, podendo ser de curto, médio e longo prazo. Isso porque é difícil alcançar os objetivos pretendidos pelo projeto sem passar por etapas intermediárias que contribuam para a sua consecução. Ao se determinar os resultados, é preciso também observar o nível de abrangência, o período de tempo

necessário para sua obtenção e o nível de risco envolvido, entre outros fatores.
- **Atividades:** são ações que devem ocorrer dentro do âmbito do projeto. As atividades que forem concluídas **não** são consideradas produtos; estes são o fruto de atividades, mas estas em si mesmas não podem ser chamadas de produto: são geradoras destes.(veja abaixo).
- **Produtos:** são os resultados de curto prazo gerados pelas atividades que foram concluídas no escopo do projeto ou programa.

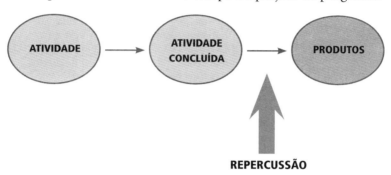

Assim, se a atividade prevista é a preparação de aulas de alfabetização, e sendo tais aulas organizadas e ministradas aos membros de uma comunidade ou bairro, poderíamos ter como produto dessa atividade o aumento da adesão das lideranças locais, dos pais e das crianças nas aulas de alfabetização.

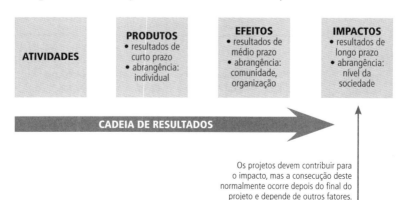

A abrangência se refere aos grupos afetados ou beneficiados pelos resultados de curto, médio e longo prazo (produtos, efeitos e impactos, respectivamente) e será influenciada, entre outros fatores, pelo nível de recursos disponíveis e pelos resultados previstos.

Exemplo[17]:

	ATIVIDADE	PRODUTO	EFEITO	IMPACTO
	Elaboração de currículo sensível à questão de gênero	Juízes e advogados com melhor compreensão da legislação relacionada com a questão de gênero	Legislação interpretada segundo perspectiva de gênero	Maior igualdade para as mulheres no sistema judiciário
	Oficinas de sensibilização para juízes e advogados sobre a questão de gênero e a legislação	Juízes e advogados com melhor compreensão da legislação relacionada com a questão de gênero	Aumento das decisões judiciais favoráveis às mulheres	
Abrangência		Juízes e advogados	Nível institucional	Nível da sociedade
Tempo		1 a 3 anos após o término das atividades	3 a 5 anos após a obtenção dos produtos	5 anos ou mais
Nível de risco na consecução dos resultados		Nível baixo de risco, pois há certo controle dos interessados e envolvidos.	Nível médio de risco, pois há parcial controle dos interessados e envolvidos.	Alto nível de risco (âmbito político, econômico, cultural, social), já que o controle sobre esses fatores é limitado.

■

DEFINIÇÃO E MENSURAÇÃO DE RESULTADOS

DEFINIÇÃO DE RESULTADOS

O que pode ser alcançado realisticamente em determinado período de tempo depende do contexto socioeconômico. Esse contexto inclui forças sociais, políticas, econômicas e culturais que se entrelaçam para explicar a sociedade. Os resultados de desenvolvimento devem estar ancorados ao contexto socioeconômico e refletir as mudanças que as partes interessadas e os beneficiários definiram como importantes ou significativas. As pessoas de fora não podem fazer isso [...] É imperativo que o desenvolvimento crie as condições necessárias para que as pessoas alcancem um melhor nível de vida usando seus recursos no contexto de seus valores sociais. Os resultados deverão refletir esses valores[18].

Vários aspectos devem ser observados e levados em consideração na definição de resultados:

• É necessário analisar as partes interessadas no início do projeto e assegurar a participação de todos os envolvidos que ajudarão a definir resultados mais realistas, principalmente porque os projetos e programas envolvem representações abrangentes do governo, de ONGs, organizações comunitárias, empresas etc.

• A comunicação entre as partes interessadas é um ponto estratégico na definição dos resultados, assim como durante as etapas de desenho, execução, monitoramento e avaliação do projeto ou programa.

• A busca de consenso é necessária, pois permitirá que se construa uma visão comum de todos os envolvidos e se chegue ao levantamento de indicadores e resultados comuns.

• É fundamental a compreensão do contexto social, econômico, político e cultural da área de implantação do projeto; também é imprescindível uma análise dos contextos internos e externos dos agentes envolvidos, o que auxiliará na gestão dos riscos.

• A construção de uma base de referência é importante para a compreensão do contexto em que se trabalhará, bem como para permitir uma análise comparativa no decorrer do desenvolvimento do programa ou projeto.

• O montante e a natureza dos recursos disponíveis afetarão a profundidade das mudanças e o que pode ser realisticamente alcançado em determinado período de tempo.

MENSURAÇÃO DE RESULTADOS

É importante que as pessoas, as organizações e os programas ou projetos tenham a capacidade de avaliar se as atividades e os esforços estão alcançando os resultados almejados, e essa é a função dos **indicadores**.

Os indicadores são um parâmetro, uma medida, um número, um fato, uma opinião ou uma percepção que ajuda a medir o progresso na direção dos resultados, e, portanto, devem estar diretamente relacionados com eles.

Os indicadores podem ser:

• **Quantitativos:** são medidas de quantidade, tais como o número de mulheres com poder de decisão, a porcentagem de crianças que freqüentam a escola primária etc.

• **Qualitativos:** são julgamentos e percepções das pessoas sobre determinada situação ou assunto, como a qualidade da educação, a satisfação alcançada num treinamento, a percepção do bem-estar da população etc.

Entretanto, se o que se pretende é medir o alcance ou não dos resultados previstos, é necessário definir uma referência inicial para isto, um momento a partir do qual se fará a análise comparativa a fim de verificar se os resultados estão sendo alcançados.

Para tanto é preciso estabelecer uma **base inicial de referência** (também chamada de "marco zero"), que deve ser coletada ou levantada no início do projeto. Os tipos de dados necessários são determinados pelo foco do projeto. É importante observar que o custo do levantamento da coleta de dados deve ser contabilizado no orçamento do programa ou projeto.

Os métodos de coleta de dados da base inicial de referência devem esclarecer como os indicadores serão medidos e variam para os indicadores qualitativos e quantitativos:

Exemplo[19]:

INDICADOR QUANTITATIVO	INDICADOR QUALITATIVO
Definição: medidas de quantidade	**Definição:** julgamento e percepções das pessoas
Métodos de coleta de dados: estatísticas, questionários, censo etc.	**Métodos de coleta de dados:** entrevistas, grupos focais etc.
Exemplo: mudanças nas taxas de emprego e desemprego de mulheres e homens	**Exemplo:** satisfação de mulheres e homens com o emprego

DICAS PARA DEFINIÇÃO E MENSURAÇÃO DE INDICADORES

• Na definição e mensuração dos indicadores devem ser envolvidas todas as partes interessadas no programa ou projeto.

• Devem-se levar em conta diversas opiniões e expectativas.

• A definição dos indicadores será mais fácil quanto mais definido e claro for o resultado. Se os interessados tiverem uma visão consensual e comum dos resultados do programa ou projeto, conseqüentemente o processo de definição dos indicadores será facilitado.

- Os indicadores devem levar em consideração as questões de gênero e etnia, entre outros aspectos sociais e culturais.
- Um máximo de três indicadores por resultado (um qualitativo, um quantitativo e um terceiro) pode ser um bom parâmetro para medir o progresso do projeto ou programa. Lembre-se de que para cada indicador deverá ser definido um método de coleta de dados que requer recursos financeiros, materiais e humanos.
- Os custos da coleta de dados para medir os indicadores devem constar do orçamento do projeto ou programa.
- Para cada um dos indicadores é necessário determinar as fontes e o método de coleta utilizados.
- Muitas vezes uma mesma fonte de informações pode ser utilizada para medir indicadores diferentes. Por exemplo: a mesma pesquisa pode determinar o aumento da renda de uma comunidade (quantitativo) e o grau de satisfação em relação às atividades desenvolvidas (qualitativo).

DESENVOLVIMENTO DA MATRIZ LÓGICA DE ANÁLISE (*LOGICAL FRAMEWORK ANALYSIS* — LFA)

A matriz lógica de análise (LFA) é um instrumento desenhado e utilizado pela Canadian International Development Agency, pela União Européia e por outras agências internacionais. Ela é a ferramenta que ajuda no desenvolvimento e na implementação da **gestão por resultados.**

É um instrumento bastante útil, pois permite a visualização geral e completa de todo o projeto, listando os objetivos gerais e específicos, os resultados esperados e os respectivos indicadores, além do levantamento de fatores de risco que podem influenciar os resultados que se pretende alcançar. É também uma ferramenta muito vantajosa na fase de desenho do projeto, uma vez que auxilia as partes envolvidas a sistematizar e organizar a visão comum das diferentes organizações participantes.

Juntamente com a **estrutura de monitoramento de desempenho**, auxilia no monitoramento e avaliação do projeto ou programa.

A seguir, exemplificamos o funcionamento da matriz lógica de análise:

RESUMO NARRATIVO	RESULTADOS ESPERADOS	INDICADORES	GERENCIAMENTO DE RISCO
Meta: motivação máxima no que se refere ao desenvolvimento do projeto. Deve identificar os beneficiários.	**Impacto:** conseqüências abrangentes, em macro e longo prazo, sendo conseqüência lógica da combinação de diversos resultados.	Indicadores que comprovarão que o programa ou projeto contribuiu para o alcance ou impacto pretendido.	Quais as condições necessárias para o desenvolvimento do projeto ou programa e para alcançar o objetivo geral do impacto? Que riscos poderiam afetar o alcance da meta?
Objetivos específicos: efeitos buscados pelo projeto durante sua vida útil.	**Efeitos:** conseqüências de médio prazo dirigidas aos beneficiários do programa ou projeto, sendo conseqüência lógica da combinação de diversos produtos.	Quais são os indicadores quantitativos e qualitativos?	Quais são as condições necessárias para o desenvolvimento do projeto ou programa e para alcançar os objetivos específicos e dos resultados? Que riscos poderiam afetar o alcance dos objetivos específicos?
Recursos: financeiros, humanos e físicos (insumos e atividades).	**Produtos:** conseqüências imediatas, visíveis e concretas, produzidas e geradas por ou para os beneficiários, sendo conseqüência das atividades ou contribuições do projeto ou programa.	Quais são os indicadores quantitativos e qualitativos?	Quais são as condições necessárias para o desenvolvimento do projeto ou programa? Que riscos poderiam afetar o alcance da meta ou do objetivo geral?

LÓGICA VERTICAL

COLUNA DO RESUMO NARRATIVO

Os recursos e objetivos específicos são relativos ao projeto e sua lógica está refletida na seguinte pergunta: que recursos (contribuições ou atividades, normalmente quantificadas em dinheiro) deverão ser investidos no projeto para garantir que os públicos-alvo do projeto se beneficiem do objetivo geral (meta) do projeto?

COLUNA DOS RESULTADOS ESPERADOS

Baseia-se no princípio da causalidade ao longo do gerenciamento do programa ou projeto. Os resultados, portanto, devem refletir as mudanças atribuídas às contribuições ou atividades desenvolvidas pelo projeto ou programa. Assim, deve-se atentar para que os resultados sejam realistas e alcançados no âmbito e no período do projeto. Finalmente, todos os interessados devem ser envolvidos na definição dos resultados.

COLUNA DO GERENCIAMENTO DE RISCO

Muitas vezes, os fatores externos podem ser a causa do fracasso de um projeto. Assim, devem-se levantar as condições que precisam estar presentes para o desenvolvimento do projeto, bem como os riscos relacionados com essas condições (sejam elas reais ou não). Isso será fundamental para o bom gerenciamento do projeto e dos riscos, de forma que minimize ou neutralize estes últimos.

LÓGICA HORIZONTAL

Tem como objetivo auxiliar na avaliação do projeto em cada nível da lógica vertical, havendo ênfase no monitoramento contínuo da *performance* do projeto ou programa, o que requer novos métodos, técnicas e ferramentas para acompanhar tais resultados – inclusive a auto-avaliação por parte dos gestores, coordenadores e interessados.

RESUMO NARRATIVO	RESULTADOS ESPERADOS	INDICADORES	GERENCIAMENTO DE RISCO
Meta: aumentar a participação dos cidadãos nas organizações do terceiro setor.	**Impacto:** fazer que os cidadãos reconheçam o terceiro setor e colaborem de novas maneiras.	Número de vezes que o terceiro setor é mencionado na mídia. Número de cidadãos envolvidos no terceiro setor.	Disseminação eficaz dos aprendizados gerados e obtidos por meio do projeto. Permanece o apoio do poder público ao terceiro setor.
Objetivos específicos: **1:** aumentar a capacidade administrativa das organizações. **2:** aumentar o número de voluntários.	**Resultados:** aumenta a capacidade dos conselhos diretores de gerenciar eficazmente as organizações. Aumenta a capacidade de administrar e recrutar voluntários.	**Indicadores:** membros do conselho conhecem o seu papel na organização. Conselho desenvolve planos e políticas. Novos métodos de recrutamento e gerenciamento de voluntários. Aumento do número de voluntários. Criadas oportunidades de trabalho voluntário na organização.	Membros do conselho estejam dispostos a mudar a forma de trabalhar. Membros do conselho tenham tempo de gerir a organização. Auxílio da população e apoio da mídia para ampliação do trabalho voluntário. Organização reconheça a importância e o valor de um bom gerenciamento de voluntários.
Atividade dos objetivos específicos: treinamento.	ONGs e indivíduos melhoram suas aptidões no voluntariado e em relação ao conselho. Facilitadores treinados são capazes de reproduzir o conteúdo.	Até 60 pessoas. Até 450 pessoas em 18 treinamentos.	Participantes comprometidos com o projeto. Necessidades dos participantes atendidas.

ESTRUTURA DE MONITORAMENTO DE DESEMPENHO

A estrutura de monitoramento de desempenho é uma ferramenta da gestão por resultados que planeja a coleta de informações relevantes ao monitoramento, à aprendizagem e à preparação de relatórios de forma sistemática. Tem por objetivo auxiliar na consecução dos resultados definidos pelas partes interessadas no programa ou projeto.

Os sistemas tradicionais de avaliação de desempenho são realizados de forma pontual no início e no final do projeto, em geral por uma equipe que não está familiarizada com os desafios da implementação do projeto. Nesse caso, as avaliações tendem a referir-se a questões de processos gerenciais e não ao alcance dos resultados e metas do projeto ou programa.

Ao contrário dos sistemas tradicionais de avaliação, o monitoramento de desempenho está voltado para medir o progresso em direção ao alcance dos resultados do projeto ou programa. É realizado de forma contínua, e as informações geradas aumentam o aprendizado e melhoram o processo de tomada de decisões.

O primeiro passo a ser tomado é definir e identificar os indicadores de desempenho, os quais devem ser aceitos por todos os interessados no projeto. No processo de definição é preciso verificar se os indicadores são:

- Viáveis (medem os resultados?).
- Reais (é uma medida consistente ao longo do tempo?).
- Simples (será fácil coletar e analisar as informações?).
- Úteis (a informação será útil para o processo decisório ou para o aprendizado?).
- Pagáveis (o projeto pode pagar pela coleta de informações?).

A escolha dos indicadores de *performance* para medir o alcance dos resultados, especialmente no caso de efeitos e produtos, dependerá totalmente da natureza do resultado, de como ele está articulado e do contexto da implementação (incluindo os custos, o tamanho e a complexidade do projeto ou programa).

Os elementos principais são:

- **Resultados** (o que será alcançado em curto, médio e longo prazo).
- **Indicadores de desempenho** (o que demonstra e ajuda a medir o progresso em direção à consecução dos objetivos).
- **Métodos e técnicas de coleta de dados** (questionários, atestados, grupos de discussão etc.).
- **Freqüência.**
- **Responsáveis** (quem executará o trabalho ou a coleta de informações).

RESULTADOS	INDICADORES DE DESEMPENHO	FONTE DE DADOS	MÉTODOS DE COLETA DE DADOS	FREQÜÊNCIA	RESPONSÁVEIS
Impacto					
Efeitos					
Produtos					
Alcance					
Recursos					

CONCLUSÃO

O terceiro setor no Brasil vem mudando com velocidade e abrangência nunca antes vistas. Instituições governamentais e privadas vêm acompanhando, estudando e incorporando em suas ações e estratégias esse novo segmento, mudando assim a realidade das atuações democráticas e participativas no Brasil e em outros países em desenvolvimento.

As organizações do terceiro setor devem preparar-se e estar capacitadas para atender às necessidades e demandas futuras e crescentes que a sociedade lhes fará. A adoção e utilização de uma melhor gestão (entendida em seu sentido mais amplo, e não só administrativo e financeiro) em muito melhorarão o trabalho a ser desenvolvido, além de permitir maior amplitude de atuação, o que terá reflexos na credibilidade dessas organizações.

As ferramentas apresentadas e adaptadas para (e por meio da) a realidade das organizações do terceiro setor devem ser utilizadas e redesenhadas, pois o que se deseja é que se tornem instrumentos efetivos de aplicação e uso. Entretanto, a gestão não é e nunca será a "varinha de condão" capaz de solucionar e acabar com os problemas e desafios que a sociedade civil organizada enfrenta no Brasil e na América Latina.

O entendimento, a compreensão e a definição do que é o terceiro setor no Brasil e na América Latina, o que ele representa de fato para os setores sociais histórica, política e economicamente, que papel pretende desempenhar diante do poder público e das empresas e qual a sua função são questões que precisam ser respondidas na tarefa de construir e conhecer esse setor.

As organizações sociais não devem substituir o Estado (a esfera pública, que não pode ser confundida com a estatal). Devem dar aos cidadãos, ao setor privado e ao Estado exemplos de como enfrentar os graves problemas sociais e econômicos dos países em desenvolvimento. As organizações devem também lutar para que esses exemplos sejam incluídos nas políticas públicas da União, dos estados e dos municípios.

Assim como a atuação de algumas organizações lograram formular diretrizes e construir agendas de políticas públicas em várias questões de cunho internacional nos mais diferentes temas (lutas por direitos (*advocacy*), políticas de gênero, crianças, mulheres, meio ambiente etc.), as organizações dos países em desenvolvimento devem iniciar a tarefa de construção e estabelecimento de agendas e diretrizes comuns nas esferas regionais e nacionais, para que estes contribuam de forma efetiva para novas e melhores políticas públicas, que deverão ser executadas e realizadas pelo poder público em todas as esferas de poder.

■

ANEXO: ROTEIRO PARA ELABORAÇÃO DO DOCUMENTO DO PROJETO

Existem modelos ou roteiros específicos para a elaboração do documento de apresentação de um projeto. Esses modelos são definidos pelos financiadores, mas em geral as informações mínimas que devem constar do documento são as seguintes:

1 Título do projeto: deve refletir seu objetivo geral e ter um impacto significativo no leitor.

2 Sumário executivo: deve levar o futuro parceiro, financiador e leitor a uma compreensão geral da proposta, verificando se ela está adequada ao apoio técnico ou financeiro contidos no projeto. Resume as informações-chave relativas ao projeto, não devendo ultrapassar uma página.

3 Apresentação institucional: nome da entidade, dos membros da diretoria, coordenação ou do responsável pelo projeto, endereço para contato e correspondência, histórico (quando foi criada, diretrizes gerais, trabalhos realizados, resultados obtidos, principais fontes de recursos ou de financiamento).

4 Análise do contexto do projeto: deficiências e potencialidades da região em que o projeto será desenvolvido. Não basta a descrição; deve-se demonstrar a importância do projeto diante da realidade descrita. É preciso convencer o leitor: fazer uma análise da realidade, das necessidades e dos problemas existentes, das potencialidades locais de suas propostas. Também é necessário mostrar como e por que a proposta ajudará a solucionar os problemas existentes.

5 Objetivos e metas: descrevem os objetivos gerais (os que serão atingidos em longo prazo e têm maior amplitude, também chamados de meta) e os específicos (foco imediato do projeto).

6 Público-alvo e localização: características da população que será atendida e diretamente beneficiada pelo projeto, bem como da população beneficiária (dados sociais, demográficos e outras informações pertinentes ao escopo do projeto).

7 Metodologia: descreve o caminho específico escolhido e a forma como vai se desenvolver, as estratégias pensadas para cada um dos objetivos e resultados propostos, quem são os envolvidos e a responsabilidade de cada um deles.

8 Cronograma de atividades: descreve todas as atividades necessárias, seus responsáveis e suas etapas ao longo do tempo.

9 Cronograma físico-financeiro: contém a previsão de custos do projeto por item de despesa e o planejamento da sua composição.

10 Anexos: trazem informações extras que se julgar necessárias ou forem solicitadas pelo financiador.

ORIENTAÇÕES PARA ELABORAÇÃO DE ROTEIROS

- Envolva todas as pessoas da equipe do projeto, incluindo representantes dos beneficiários, na elaboração da proposta, de forma que insira todos os pontos de vista e contribuições no documento.
- Tenha em mente que alguns dados ou informações que podem ser óbvios para a equipe não o são para o leitor do projeto.
- Informações sobre parcerias, redes ou articulações com outros projetos ou organizações são importantes, sejam elas com o setor público, com empresas ou com outras organizações do terceiro setor.

- Seja lógico na argumentação e evite o uso excessivo da linguagem técnica ou de jargões, pois isso pode tornar o texto incompreensível para o leitor. Se o uso desses termos for indispensável, elabore um glossário para facilitar a compreensão do leitor.
- Procure evitar textos longos, preferindo elaborar quadros e tabelas que possam sintetizar e deixar as informações mais claras.
- Seja conciso: os projetos não são avaliados pelo peso ou número de páginas. Lembre-se de que o leitor provavelmente terá de ler dezenas ou centenas de projetos como o seu.
- Peça a outra pessoa que leia o texto e verifique se a compreensão foi correta.
- É importante que o financiador compreenda que o quadro e o contexto analisados pela equipe são passíveis de ser transformados por meio das ações propostas pelo projeto ou programa e conheça o prazo em que isso está previsto para ocorrer.

NOTAS

1   *Global civil society – Dimensions the nonprofit sector*, 1999.

2   Com a derrocada do Estado de Bem-Estar Social, surge o que se convencionou chamar de "Consenso de Washington", formulado pelo governo dos Estados Unidos e apoiado pelo Fundo Monetário Internacional (FMI) e pelo Banco Mundial. Esse consenso propõe a formação do Estado Mínimo: preconiza o fim de barreiras protecionistas nos países em desenvolvimento, a privatização das empresas públicas, a flexibilização das relações e dos direitos trabalhistas e previdenciários e a transferência para o mercado dos serviços públicos.

3   Civicus. *Privado porém público: o terceiro setor na América Latina*, 1994.

4   Associação Brasileira de Organizações Não-Governamentais. *O impacto social do trabalho das ONGs no Brasil*, 1998, p. 7.

5   Falconer, Andrés Pablo. *A promessa do terceiro setor: um estudo sobre a construção do papel das organizações sem fins lucrativos e de seu campo de gestão*, 1999.

6   Falconer, Andrés Pablo, *op. cit.* p. 100.

7   Apud Rafael, Edson José. *Fundações e direitos – Terceiro setor*, 1997, p. 51.

8   Szazi, Eduardo. *Terceiro setor: regulação no Brasil*, p. 37.

9 Szazi, Eduardo, *op. cit.*, p. 47.

10 Kisil, Rosana. *Guia de gestão para quem dirige entidades sociais*, 2002, pp. 35-45.

11 Programa "Gestão para Organizações Sociais". Associação dos MBAs da USP e *Revista Eletrônica do Terceiro Setor*, n.º 2, maio 2001, p. 3.

12 Franco, Eduardo *et al. Gestão social: uma questão de debate*, 1999, p. 62.

13 Capítulo baseado em Speak, Ann; McBride, Boyd; Shipley, Ken. *Captação de recursos: da teoria à prática*, 2002.

14 Cruz, C. *Captação de diferentes recursos para organizações da sociedade civil*, 2000.

15 Marino, Eduardo. *Manual de avaliação de projetos sociais: uma ferramenta para a aprendizagem e desenvolvimento de sua organização.*

16 Marino, Eduardo, *op. cit.*

17 Canadian International Development Agency. *Result based management handbook on developing result chain*, 2000, p. 33.

18 Canadian International Development Agency, *op. cit.*, p. 22.

19 *Ibidem*, p. 28.

BIBLIOGRAFIA

LIVROS, ARTIGOS E OUTRAS PUBLICAÇÕES

Associação Brasileira de Organizações Não-Governamentais. *O impacto social do trabalho das ONGs no Brasil.* São Paulo: Abong, 1998.

_____. *ONGs: identidade e desafios atuais.* Cadernos Abong n. 27. São Paulo: Autores Associados, maio 2000.

_____. *ONGs: um perfil. Cadastro das associadas à Associação Brasileira de Organizações Não-Governamentais.* São Paulo: Abong, 1998.

Ávila, Célia M. de (coord.). *Gestão de projetos sociais.* São Paulo, AAPCS, 1999.

Benício, João Carlos. *Gestão financeira para organizações da sociedade civil.* São Paulo: Global, 2000.

Bombal, Inês González. "Perspectivas Latinoamericanas sobre el tercer sector". *International Society for Third Sector Research*, ITSR Website, abr. 2002.

Cabral, Bernardo. *A cooperação técnica internacional.* Brasília: Senado Federal, 1998.

Canadian International Development Agency. *Result-based management handbook on developing result chain*, Ottawa, mar. 2000.

Civicus. *Privado porém público: o terceiro setor na América Latina.* Relatório Latino-Americano, Nova York, 1994.

Costa Júnior, Leopoldo. "Terceiro setor e economia social". *Cadernos do Terceiro Setor*, Centro de Estudos do Terceiro Setor da FGV-SP, São Paulo, 1997.

Cruz, C. *Captação de diferentes recursos para organizações da sociedade civil.* São Paulo: Global, 2000.

Dearo, Fernanda. "Os segredos da captação de recursos – Dez dicas valiosas para profissionalizar a mobilização de recursos de sua entidade". *Filantropia On Line*, n. 34, 21 de fevereiro de 2005.

Ehlers, Eduardo; Calil, Lucia Peixoto. *Monitoramento de projetos sociais – Terceiro curso de desenho e gestão de programas sociais.* São Paulo, Fundação do Desenvolvimento Administrativo (Fundap), 1999.

Falconer, Andrés Pablo. *A promessa do terceiro setor: um estudo sobre a construção do papel das organizações sem fins lucrativos e de seu campo de gestão.* Dissertação (mestrado em Administração) – Universidade de São Paulo, São Paulo, 1999.

Ferrezi, Elisabete. "O novo marco legal do terceiro setor no Brasil". Artigo redigido para o III Encontro da Rede Latino-Americana e da International Society for Third Sector Research, ISTR Website, 14 set. 2001.

Franco, Eduardo *et al. Gestão social: uma questão de debate.* São Paulo: Instituto de Estudos Especiais da PUC-SP, 1999.

Global *civil society – Dimensions of nonprofit sector.* Baltimore: Johns Hopkins Centre of Civil Society Studies, 1999.

Gohn, Maria da Glória. "De Seattle a Gênova". *Folha de S.Paulo*, São Paulo, Caderno Mais (As entranhas da globalização), 27 jan. 2002, p. 6.

Grupo de Estudos do Terceiro Setor. *Captação de recursos: da teoria à prática.* São Paulo: Gets, 2000.

Habermas, Jürgen. *Direito e democracia: entre faticidade e validade.* Rio de Janeiro: Tempo Brasileiro, 2003.

Instituto Brasileiro de Geografia e Estatística. As fundações privadas e as associações sem fins lucrativos. São Paulo: IBGE, 2002.

IOSCHPE, Evelyn B. *et al. Terceiro setor: desenvolvimento social sustentado.* São Paulo: Grupo de Institutos, Fundações e Empresas/Paz e Terra, 1997.

JORDAN, David Alberto Beker. "A carreira do administrador em organizações do terceiro setor". *Cadernos do Terceiro Setor*, Centro de Estudos do Terceiro Setor da FGV-SP, São Paulo, 1996.

KISIL, Rosana. *Guia de gestão para quem dirige entidades sociais.* São Paulo: Senac/Fundação Abrinq, 2002.

KLIKSBERG, Bernardo (org.). *Pobreza: uma questão inadiável – Novas respostas a nível mundial.* Brasília: Fundação Escola Nacional de Administração Pública, 1994.

_____. *The nonprofit sector in the developing world.* Manchester: Manchester University, 1998.

MARINO, Eduardo. *Manual de avaliação de projetos sociais: uma ferramenta para a aprendizagem e desenvolvimento de sua organização.* São Paulo: Instituto Ayrton Senna/Saraiva, 1998.

MARTINS, Paulo H. "As novidades da Lei n.º 9.790/99, a Lei das Oscips." *Revista do Terceiro Setor, Site* Rede de Informação do Terceiro Setor, maio 1999.

_____. "O Decreto n.º 3.100 de 30 de julho de 1999, e a regulamentação da Lei das Oscips". *Revista do Terceiro Setor, Site* Rede de Informação do Terceiro Setor, maio 1999.

_____. "Sobre os esclarecimentos da Secretaria Nacional de Justiça quanto aos processos de Oscips". *Revista do Terceiro Setor Site* Rede de Informação do Terceiro Setor, nov. 2004.

MOTTA, Paulo Roberto. *Gestão contemporânea: a ciência e a arte de ser dirigente.* São Paulo: Record, 1991.

NOLETO, Marlova J. *Parcerias e alianças estratégicas: uma abordagem prática*. São Paulo: Global, 2000.

"PESQUISA mostra a evolução do investimento social corporativo". *Carta da Educação Comunitária*, Serviço Nacional do Comércio, n. 32, jul./ago. 2001.

"PRINCIPAL estudo mundial mostra que o terceiro setor está em franca expansão". *Carta da Educação Comunitária*, Serviço Nacional do Comércio, São Paulo, n. 26, jun./ jul. 2000.

RAFAEL, Edson José, *Fundações e direitos – Terceiro setor*. São Paulo: Melhoramentos, 1997.

RATTNER, Henrique. "A responsabilidade social das empresas". *Boletim da Associação Brasileira de Desenvolvimento de Lideranças*, São Paulo, ago. 2002.

_____. *Liderança para uma sociedade sustentável*. São Paulo: Nobel, 1999.

ROSSI JÚNIOR, Luiz Rodovil. "A gestão para resultados como ferramenta administrativa nas organizações do Terceiro Setor". *Integração – Revista Eletrônica do Terceiro Setor*, n. 2, maio 2001.

SALAMON, Lester (ed.). *Global civil society – Dimensions of the nonprofit sector*. Baltimore: The Johns Hopkins Centre for Civil Society Studies, 2004.

SPEAK, Ann; McBRIDE, Boyd; SHIPLEY, Ken. *Captação de recursos: da teoria à prática*. São Paulo: Grupo de Estudos do Terceiro Setor/United Way of Canada, 2002.

SZAZI, Eduardo. *Terceiro setor: regulação no Brasil*. São Paulo: Gife/Peirópolis, 2003.

TENÓRIO, Fernando G. *Gestão de ONGs: principais funções gerenciais*. São Paulo: Editora da Fundação Getulio Vargas, 1997.

"TERCEIRO SETOR gera 2.000 vagas a cada ano". *Folha de S.Paulo*, São Paulo, 9 jul. 2002.

VÁRIOS AUTORES. *Building on strength: improving governance and account- ability in Canada's voluntary sector.* Panel on accountability and go- vernance in the voluntary sector, voluntary sector roundtable, final report, fev. 1999.

_____. *Gestão do ciclo do projeto – Abordagem integrada e quadro lógico.* Comissão das Comunidades Européias/Série Métodos e Instrumen- tos para Gestão do Ciclo de Projetos, Holanda, fev. 1993.

_____. *O plano de marketing aplicado à atividade social.* São Paulo: Se- nac, 1999.

_____. *Result-based management in Canadian International Devel- opment Agency: an introductory guide to the concepts and principals.* Result based management division, Ottawa, jan. 1999.

_____. *The logical framework: making it results-oriented.* Guidelines, performance review branch and bilateral branches of Canadian In- ternational Development Agency, Ottawa, nov. 1997.

ZAFFARONI, Cecília. *El marco del desarrollo de base. La construcción de un sistema participativo para analizar resultado de proyectos sociales.* Montevidéu: Trilce, 1997.

SITES DE INTERESSE

NACIONAIS
Associação Brasileira de Organizações Não-Governamentais (Abong) • Organização que congrega entidades do Terceiro Setor no Brasil • www.abong.org.br

Associação Brasileira para o Desenvolvimento de Lideranças (ABDL) • Organização com programas de treinamento com foco em questões de desenvolvimento sustentável • www.abdl.org.br

Banco de Tecnologias Sociais • Banco de boas práticas na área de tecno- logia • www.tecnologiasocial.org.br

Centro de Empreendedorismo Social e Administração em Terceiro Setor • Ceats/FEA-USP • www.ceats.org.br

Centro de Estudos do Terceiro setor da Faculdade de Economia e Administração da Universidade de São Paulo • www.ceats.org.br

Grupo de Institutos, Fundações e Empresas (Gife) • Congrega empresas, fundações e institutos que implementam, financiam e apóiam ações • www.gife.org.br

Instituto Brasileiro de Análises Sociais e Econômicas (Ibase) • www.ibase.org.br

Instituto de Pesquisas Econômicas Aplicadas (Ipea) • Pesquisa a ação social das empresas • www.ipea.gov.br/asocial/

Instituto Ethos • Congrega empresas socialmente responsáveis e realiza estudos e publicações sobre o tema • www.ethos.org.br

Ministério da Justiça • Explica as bases para obter a qualificação de Oscip. • www.mj.gov.br

Observatório Brasília do Terceiro Setor • Traz informações e notícias sobre o terceiro setor • www.observatoriobrasilia.org.br

Periódicos Capes • Portal que contém artigos e revistas científicos sobre os mais variados temas • www.periodicos.capes.gov.br

Rede de Informação do Terceiro Setor (Rits) • Portal informativo sobre o terceiro setor • www.rits.org.br

Setor 3 • Portal informativo sobre o terceiro setor mantido pelo Senac • www.setor3.com.br

INTERNACIONAIS

American Evaluation Association • Associação de especialistas em avaliação e monitoramento • http://www.eval.org

Bridging Research and Policy • Diretório de institutos de pesquisa em políticas públicas • www.researchandpolicy.org

Charity Channel • Fórum de discussão e debate sobre diversos temas que congrega profissionais do terceiro setor • www.charitychannel.com

Charity Village • Reunião de diversas organizações sem fins lucrativos • www.charityvillage.com

Civicus • World Alliance for Citizen Participation – portal com informações e ferramentas para a sociedade civil • www.civicus.org

Civil Society Hearings • Relatório publicado pelas Nações Unidas sobre a sociedade civil • www.un.org/ga/civilsocietyhearings

Instituto Argentino de Responsabilidade Social Empresarial • Congrega dados e organizações que atuam com responsabilidade social corporativa na Argentina • http://www.iarse.org

International Society for Third Sector Research • Instituição de pesquisa do terceiro setor • www.istr.org

Johns Hopkins University Center for Civil Society Studies • Centro de estudos do terceiro setor da Johns Hopkins University • www.jhu.edu/~ccss/

La Sociedad Civil en Línea • Portal com informações sobre o terceiro setor na América Latina • www.lasociedadcivil.org

Lead International • Rede para o desenvolvimento sustentável • www.lead.org

Non Profit Centre • Dados sobre organizações sem fins lucrativos que atuam em diversas áreas • www.nonprofit.org

The Foundation Center • Informações sobre as organizações do terceiro setor no Canadá e nos Estados Unidos • www.fdncenter.org

Iniciativa Interamericana do Capital Social, Ética e Desenvolvimento • Fórum de discussão sobre ética, desenvolvimento social e voluntariado, entre outros temas • www.iadb.org/etica

■

www.gruposummus.com.br

IMPRESSO NA
sumago gráfica editorial ltda
rua itauna, 789   vila maria
02111-031   são paulo   sp
tel e fax 11 **2955 5636**
sumago@sumago.com.br

GRÁFICA
sumago